Soviet and Post-Soviet Politics and Society
ISSN 1614-3515

Soviet and Post-Soviet Politics and Society (SPPS)
ISSN 1614-3515

Founded in 2004 and refereed since 2007, SPPS makes available affordable English-, German- and Russian-language studies on the history of the countries of the former Soviet bloc from the late Tsarist period to today. It publishes approximately 20 volumes per year, and focuses on issues in transitions to and from democracy such as economic crisis, identity formation, civil society development, and constitutional reform in CEE and the NIS. SPPS also aims to highlight so far understudied themes in East European studies such as right-wing radicalism, religious life, higher education, or human rights protection. The authors and titles of previously published and forthcoming manuscripts are listed at the end of this book. For a full description of the series and reviews of its books, see http://www.ibidem-verlag.de/red/spps.

Note for authors (as of 2007): After successful review, fully formatted and carefully edited electronic master copies of up to 250 pages will be published as b/w A5 paperbacks and marketed in Germany (e.g. vlb.de, buchkatalog.de, amazon.de). English-language books will, in addition, be marketed internationally (e.g. amazon.com). For longer books, formatting/editorial assistance, different binding, oversize maps, coloured illustrations and other special arrangements, authors' fees between €100 and €1500 apply. Publication of German doctoral dissertations follows a separate procedure. Authors are asked to provide a high-quality electronic picture on the object of their study for the book's front-cover. Younger authors may add a foreword from an established scholar. Monograph authors and collected volume editors receive two free as well as further copies for a reduced authors' price, and will be asked to contribute to marketing their book as well as finding reviewers and review journals for them. These conditions are subject to yearly review, and to be modified, in the future. Further details at www.ibidem-verlag.de/red/spps-authors.

Editorial correspondence & manuscripts should, until 2008, be sent to: Dr. Andreas Umland, DAAD, German Embassy, vul. Bohdana Khmelnitskoho 25, UA-01901 Kiev, Ukraine; umland@stanfordalumni.org.

Business correspondence & review copy requests should be sent to: *ibidem*-Verlag, Julius-Leber-Weg 11, D-30457 Hannover, Germany; tel.: +49(0)511-2622200; fax: +49(0)511-2622201; spps@ibidem-verlag.de.

Book orders & payments should be made via the publisher's electronic book shop at: http://www.ibidem-verlag.de/red/SPPS_EN/

Recent Volumes

60 Олег Рябов
«Россия-Матушка»
Национализм, гендер и война в России XX века
С предисловием Елены Гощило
ISBN 978-3-89821-487-2

61 Ivan Maistrenko
Borot'bism
A Chapter in the History of the Ukrainian Revolution
With a new introduction by Chris Ford
Translated by George S. N. Luckyj with the assistance of Ivan L. Rudnytsky
ISBN 978-3-89821-697-5

63 Paul D'Anieri and Taras Kuzio (Eds.)
Aspects of the Orange Revolution I
Democratization and Elections in Post-Communist Ukraine
ISBN 978-3-89821-698-2

64 Bohdan Harasymiw
in collaboration with Oleh S. Ilnytzkyj (Eds.)
Aspects of the Orange Revolution II
Information and Manipulation Strategies in the 2004 Ukrainian Presidential Elections
ISBN 978-3-89821-699-9

65 Ingmar Bredies, Andreas Umland and Valentin Yakushik (Eds.)
Aspects of the Orange Revolution III
The Context and Dynamics of the 2004 Ukrainian Presidential Elections
ISBN 978-3-89821-803-0

66 Ingmar Bredies, Andreas Umland and Valentin Yakushik (Eds.)
Aspects of the Orange Revolution IV
Foreign Assistance and Civic Action in the 2004 Ukrainian Presidential Elections
ISBN 978-3-89821-808-5

67 Ingmar Bredies, Andreas Umland and Valentin Yakushik (Eds.)
Aspects of the Orange Revolution V
Institutional Observation Reports on the 2004 Ukrainian Presidential Elections
ISBN 978-3-89821-809-2

68 Taras Kuzio (Ed.)
Aspects of the Orange Revolution VI
Post-Communist Democratic Revolutions in Comparative Perspective
ISBN 978-3-89821-820-7

Tim Bohse

Autoritarismus statt Selbstverwaltung

Die Transformation der kommunalen Politik
in der Stadt Kaliningrad 1990-2005

Mit einem Geleitwort von Stefan Troebst

ibidem-Verlag
Stuttgart

Bibliografische Information der Deutschen Nationalbibliothek
Die Deutsche Nationalbibliothek verzeichnet diese Publikation in der
Deutschen Nationalbibliografie; detaillierte bibliografische Daten sind im
Internet über http://dnb.d-nb.de abrufbar.

Bibliographic information published by the Deutsche Nationalbibliothek
Die Deutsche Nationalbibliothek lists this publication in the Deutsche Nationalbibliografie;
detailed bibliographic data are available in the Internet at http://dnb.d-nb.de.

Titelbild: Haus der Räte, Kaliningrad. © Kamil Nowastowski, 2006.

∞

Gedruckt auf alterungsbeständigem, säurefreien Papier
Printed on acid-free paper

ISSN: 1614-3515

ISBN-10: 3-89821-782-5
ISBN-13: 978-3-89821-782-8

© *ibidem*-Verlag
Stuttgart 2007

Printed in Germany

Inhalt

Abstract in English

Tim Bohse

Authoritarianism Instead of Self-Government
The Transformation of Local Politics
in the City of Kaliningrad, 1990-2005

With a foreword by Stefan Troebst

After the fall of the Soviet empire, Russian local administration gained a new legal position within the state's structure. Now, the constitutions of the Russian Federation grants local self-government to its citizens. Article 3 and new federal and regional laws of the 1990s have defined the legal basis of local government reforms.

This case study analyses how these reforms were implemented in the city of Kaliningrad, and which impact they had on local politics. Not only the legal aspects of local self-government, but also the main institutions and persons of local politics in Kaliningrad and patterns of their interaction between 1990 and 2005 are examined.

The introduction of a new set of institutions through a new city charter in 1996 polarised the political community and drew new lines of conflict. The political transformation marked by struggles between the directly elected mayor and city counsel, and between the city and regional administration, did not end in consolidated democratic rule, but led to the establishment of a new authoritarian model of the local government. The re-establishment of the etatist administration in Kaliningrad was also fostered by central state policies during the first term of Putin's presidency.

Dank

Bei der Vorbereitung der Publikation dieser Arbeit haben mich Stefan Borchers, Kathrin Franke, Corinna Jentzsch, Marta Melke und Ronny Mücklisch unterstützt. Ihnen sei herzlich gedankt.

Zum Geleit

Die von Merle Fainsod 1963 bis David Blackburn 1998 gestellte Schlüsselfrage westlicher Osteuropaforschung »How Russia is ruled?« ist immer dann erhellend beantwortet worden, wenn die Untersuchungsebene nicht diejenige von Politbüro, Präsidentenamt und Regierung, sondern von Region, Bezirk und Stadt war. 1977 hat Ronald J. Hill in seiner Fallstudie *Soviet Political Elites. The Case of Tiraspol* Elitenrotation, personelle Netzwerke und interethnische Heiratsmuster am Beispiel von Rüstungsindustrie, Parteiorganisation und Stadtverwaltung einer mittelgroßen Stadt in der damaligen Moldauischen SSR beleuchtet – und damit ganz zufällig die Erklärung für den 1990 ausgebrochenen gewaltförmigen Konflikt zwischen transnistrischen (Tiraspoler) Separatisten sowjetnostalgischer Prägung und der ethnozentristischen Zentralregierung der neuen Republik Moldova geliefert.

In seiner Untersuchung postsowjetischer Kommunalpolitik in Kaliningrad unternimmt Tim Bohse nun den Versuch, das Fortwirken sowjetischer Herrschaftsmuster unter den Bedingungen »defekter Demokratie« in der Russländischen Föderation (RF) am Beispiel einer Gebietshauptstadt zu analysieren. Seine Arbeitshypothese dabei ist, dass sich hier ein »kompetitiv-autoritäres Verwaltungsmodell« etabliert hat, welches die kommunale Selbstverwaltung konterkariert. Dieses Modell stellt sich ihm als »ein neuartiges autoritäres Regime« dar, »das sowohl Elemente der vergangenen sowjetischen Diktatur, als auch neo-traditionale Formen der Herrschaft und einen begrenzten liberalen Pluralismus inkorporiert«. Kaliningrad dient ihm dabei aufgrund seiner Exklavensituation und damit weitgehenden Isoliertheit als geeignetes Fallbeispiel, das überdies in der sozialwissenschaftlichen Forschung einige Aufmerksamkeit auf sich gezogen hat.

Der Aufbau der Studie ist mustergültig: Einem ausführlichen Theorieteil zu Periodisierung und Typologisierung der Transformation sowie zu Typen kommunaler Selbstverwaltung und einem präzisen einleitenden Kapitel zur normativen Ebene, also zur russländischen Kommunalgesetzgebung der 1990er Jahre, stehen vier außerordentlich gründliche Kapitel zur Institutionalisierungs- und Konsolidierungsphase eben dieser Gesetzgebung in Kaliningrad gegenüber. Die beiden Kapitel zur Institutionalisierungsphase behandeln Konflikte und Akteurskonstellationen, die Kapitel zur Konsolidierungsphase erneut Konflikte sowie die Veränderungen in der Ära Putin.

Mindestens ebenso mustergültig ist das methodische Vorgehen, denn der Autor hat neben gedruckten Quellen aus der RF, grauer Literatur sowie der internationalen wie russländischen Fachliteratur juristischer, politikwissenschaftlicher und anderer Provenienz während eines Forschungsaufenthaltes in Kaliningrad auch eine Reihe von Akteuren und Beobachtern vor Ort in Interviews befragt.

Glanzstück der Arbeit ist die Analyse der prototypisch sowjetisch-postsowjetischen Karriere des seit 1998 amtierenden Kaliningrader Bürgermeisters und Marineoffiziers a.D., Jurij A. Savenko, der 1993 von der Insel Sachalin am entgegengesetzten Ende des implodierten Imperiums in dessen äußersten Westen gekommen war. Sowohl seine Wahl 1998 als auch seine Wiederwahl 2002 verdankte Savenko seinen guten Verbindungen zu den in Kaliningrad stationierten Streitkräften der RF, denn mittels organisierter Wahlgänge zahlreicher Rekruten und anderer Militärangehöriger konnte er seinen Stimmenanteil erheblich steigern. Ähnliches gilt für Veteranenverbände und deren Mitglieder. Eindringlich analysiert der Autor die Entmachtung des Stadtrates durch Bürgermeister Savenko. Mit der Neuwahl dieses Gremiums 2001 errang die ihm verbundene Kommunistische Partei die Mehrheit, Stadtpräsident wurde ein ehemaliger Berufsoffizier. Eine besondere Rolle dabei spielt auch der Umstand, dass mit Ausnahme eines einzelnen Printmediums die Medienlandschaft Kaliningrads de facto Sprachrohr des Bürgermeisters ist. Obwohl führendes Mitglied der neuen pro-putinschen Präsidentenpartei »Edinaja Rossija« (Einiges Russland), steht Bürgermeister Savenko in einem permanenten Konflikt mit dem gleichfalls putintreuen Gouverneur des Gebiets Kaliningrad über die Verteilung finanzieller Ressourcen.

In diesem Konflikt, der sowohl in der Gebietsduma als auch außerhalb davon – in den gesteuerten Medien und in der Präsidentenpartei – ausgetragen wird, hat Savenko die Oberhand, doch da sich die von Boris N. El'cin initiierte Dezentralisierung der zentralistischen sowjetischen Staatsverwaltung in einem von Putin forcierten Rezentralisierungsprozess befindet, wird sich die Waagschale mittelfristig zugunsten der Gebietsverwaltung neigen. Über sein engeres Thema der kommunalen Selbstverwaltung hinaus kann Tim Bohse zeigen, dass regionale Eliten im postsowjetischen Russland ihren Machterhalt teils ähnlich, teils anders als in der Sowjetunion betreiben: Sie nutzen weiterhin die nahezu unbeschränkte Möglichkeit der Funktionsrotation – vom Stadtkommandanten zum Vorsitzenden des Obersten Sowjets und weiter zum Kombinatsdirektor und Bezirksparteichef – sowie die Unterstützung des Militärs, instrumentalisieren jetzt aber auch die neuen Möglichkeiten zur Gründung von Parteien sowie zur Beeinflussung von Wahlen, um sich dergestalt einen demokratischen Anstrich zu verschaffen. Dass es keine zivilgesellschaftlichen Strukturen und/oder alternative Medien gibt, die dieser Rückkehr des Autoritarismus entgegenstehen, gehört ebenfalls zum sowjetischen Erbe. Folglich ist Tim Bohses Untersuchung eine außerordentlich erkenntnisträchtige Fallstudie zur Frage nach den Entwicklungstendenzen des politischen Systems der RF in der nahen Zukunft.

Stefan Troebst
Universität Leipzig

Einleitung[1]

»The tension between democracy, order and economic liberalisation
remains unresolved in post-communist Russia.«

Richard Sakwa[2]

Die aktuellen politischen und gesellschaftlichen Entwicklungen in der Russischen Föderation werden in der politikwissenschaftlichen Forschung unterschiedlich bewertet. Deuten die Anhänger der Autoritarismus-These den russischen Sonderweg als Rückkehr zu einem »autoritären und bürokratischen Einparteiensystem«[3], so glauben die Vertreter des Ansatzes des »starken Staates«, dass die schrittweise Zentralisierung des russischen Staates seit Putins Amtsantritt eine notwendige Zwischenetappe auf dem Weg zur endgültigen Liberalisierung und Demokratisierung Russlands darstellt.[4] Auch in der Transformationstheorie herrscht Uneinigkeit: Während für Merkel et al. die Russische Föderation eine *defekte Demokratie* ist, steht für Knobloch fest, dass Russland spätestens seit Anfang der 2000er Jahre dem Systemtyp des *autoritären Regimes* zuzuordnen ist.[5] Die Unsicherheit der Fachleute ist nicht verwunderlich, denn es ist in der chaotischen russischen Transformati-

---

1   Die vorliegende Studie ist im Sommer 2005 als Diplomarbeit am Institut für Politikwissenschaft der Universität Leipzig angenommen worden.
2   Sakwa, Richard: Russian politics and society, 3. Aufl., London 2002, S. 470.
3   Mommsen, Margareta: Autoritäres Präsidialsystem und gelenkter politischer Wettbewerb in Putins Russland, in: Gorzka, Gabriele; Schulze, Peter W. (Hg.): Wohin steuert Russland unter Putin? Der autoritäre Weg in die Demokratie, Frankfurt/Main 2004, S. 177-202; Mommsen spricht von einem gefestigten autoritären Präsidialmodell, siehe S. 197f.
4   Siehe die Position der Herausgeber: Gorzka, Gabriele; Schulze, Peter W. (Hg.). Russlands Perspektive: Ein starker Staat als Garant von Stabilität und offener Gesellschaft?, Bremen 2002.
5   Merkel et al. bezeichnen Russland als eine »illiberale Demokratie mit delegativen Zügen«, siehe Merkel, Wolfgang; Puhle, Hans-Jürgen; Croissant, Aurel; Eicher, Claudia; Thiery, Peter: Defekte Demokratie. Band 1: Theorie, Opladen 2003, S. 167; zu einer anderen Bewertung siehe Knobloch, Jörn: Defekte Demokratie oder keine? Das politische System Russlands, Münster 2002.

onsgesellschaft tatsächlich schwer, zwischen Sein und Schein zu unterscheiden.

Im Rahmen der vorliegenden Studie soll ein Teilregime der russischen Gesellschaft – die kommunale Politik in der Stadt Kaliningrad – untersucht werden. Im Zentrum des empirischen Teils der Analyse steht die Annahme, dass sich in Kaliningrad im Laufe der 90er Jahre ein *kompetitiv-autoritäres Verwaltungsmodell* etabliert hat, das die Logik der kommunalen Politik bestimmt. Damit hat sich in der Stadt ein neuartiges autoritäres Regime entwickelt, das sowohl Elemente der vergangenen sowjetischen Diktatur, als auch neotraditionale Formen der Herrschaft und einen begrenzten liberalen Pluralismus inkorporiert.

Sabine Kropp, Helmut Wollmann und Kirk Mildner haben seit Mitte der 90er Jahre in Deutschland die Grundlagen für die Erforschung der russischen Kommunalpolitik gelegt.[6] Die wichtigste Frage lautete zunächst, welche Auswirkung der revolutionäre Bruch mit dem zentralistischen sowjetischen Verwaltungsmodell auf der Ebene der russischen Kommunen hatte. Durch die Einführung des Prinzips der *kommunalen Selbstverwaltung* wurde ein Element *vertikaler Gewaltenteilung* in den vormals monolithischen Staat eingeführt, ein Schritt, mit dem viele Menschen die Hoffnung auf eine langfristige Demokratisierung der russischen Gesellschaft verbanden. Die Tatsache, dass das Recht auf kommunale Selbstverwaltung Eingang in die Verfassungsordnung der Russischen Föderation fand und Russland 1998 die Europäische Charta der kommunalen Selbstverwaltung ratifizierte, schien diese Hoffnungen zu bestätigen. Die kommunale Ebene der Russischen Föderation war im Laufe der 90er Jahre Gegenstand und Ziel der föderalen Reformpolitik.

Ende der 90er Jahre stand es in politischer und wirtschaftlicher Hinsicht jedoch sehr schlecht um die russischen Gemeinden. Die Mehrzahl der Kommunen war verarmt und vollständig von der nächsthöheren Verwaltungsebene abhängig. Vladimir Gel'man kommt in bezug auf den Entfaltungsgrad der

---

6   Kropp, Sabine: Systemreform und lokale Politik in Russland, Opladen 1995; Mildner, Kirk: Lokale Politik und Verwaltung in Russland, Basel 1996; Wollmann, Helmut: Institution building of local self-government in Russia: Between the legal design and power politics, in: Gel'man, V.; Young, J.; Evans, A. (Hg.): Local government in Russia, Lanham 2004, S. 104-127.

kommunalen Demokratie zu folgendem Resümee: »Local democracy in most Russian regions is reduced to noncompetitive voting for the ›political machines of regional bosses‹.[7] Tomila Lankina hat in einer Studie am Beispiel der Stadt Ufa gezeigt, dass russische Lokalverwaltungen gegenüber der Bevölkerung nach wie vor ein fast unbegrenztes Steuerungs- und Manipulationspotential haben, das sie zur Konsolidierung ihrer nur schwach limitierten Macht benutzen. Durch das formale Satzungsrecht, die Ausnutzung des Abhängigkeitsverhältnisses der Bevölkerung von Zuweisungen und Subventionen und die Manipulation der lokalen Öffentlichkeit findet eine umfassende Kontrolle der Gesellschaft auf der lokalen Ebene statt.[8]

Die Stadt Kaliningrad ist aufgrund der langen deutschen Geschichte ein russischer Sonderfall.[9] Sie ist Hauptstadt einer russischen Exklave, die seit dem 1. Mai 2004 vollständig von EU-Mitgliedsstaaten umgeben ist.[10] Die Besonderheiten, die sich aus diesen Faktoren ergeben, können in dieser Arbeit jedoch aus folgenden Gründen weitgehend vernachlässigt werden: Zum einen sind die Verbindungen zur deutschen Tradition vollständig abgeschnitten, so dass Kaliningrad heute eine typische postsowjetische Stadt ist.[11] Außerdem ist die Integration in die nicht-russische Umgebung bis zum jetzigen Zeitpunkt zu wenig fortgeschritten, um ernsthafte Auswirkungen auf die Struktur der Verwaltung und das regionale politische System zu haben. Die örtlichen Beson-

---

7   Gel'man, Vladimir: In search of local autonomy: the politics of big cities in Russia's transition, in: International Journal of Urban and Regional Research, Jg. 27, 1/2003b, S. 58.

8   Lankina, Tomila: Local government and ethnic and social activism in Russia, in: Brown, Archie (Hg.): Contemporary Russian politics, New York 2001, S. 398-411.

9   Siehe Sonderheft Osteuropa: Die Zukunft Kaliningrads. Konfliktschichten und Kooperationsfelder, Osteuropa, Jg. 53, 2-3/2003, Kaliningrad; Knappe, Elke; Schulze, Monika: Kaliningrad aktuell, Leipzig 2003; siehe auch die Publikationen des Schleswig-Holsteinischen Instituts für Friedenswissenschaften (Schiff) zur Kaliningrader Oblast': http://www.schiff.uni-kiel.de.

10   Zur Exklavenproblematik siehe Nies, Susanne: Ach Kaliningrad. Eine ungewöhnlich gewöhnliche Exklave, in: Osteuropa, Jg. 53, 2-3/2003, S. 394-409.

11   Fragen der Identität sind trotzdem prekär, vgl. Karabeshkin, Leonid; Wellmann, Christian (Hg.): The Russian domestic debate on Kaliningrad. Integrity, Identity and Economy, Münster 2004, siehe auch Matthes, Eckhard (Hg.): Als Russe in Ostpreußen. Sowjetische Umsiedler über ihren Neubeginn in Königsberg/Kaliningrad, Ostfildern 2002.

18   TIM BOHSE

derheiten fallen demzufolge auf der kommunalen Ebene kaum ins Gewicht. Experten gehen davon aus, dass die Stadtverwaltung in Kaliningrad vor den gleichen Problemen steht, wie die Kommunalverwaltungen im russischen Mutterland.[12] Die Stadt Kaliningrad stellt im russischen Vergleich jedoch eines der seltenen Beispiele für eine kommunale städtische Verwaltung dar, die ihre Unabhängigkeit von der Oblast'-Verwaltung weitgehend behaupten konnte.[13]

Der prekäre sozioökonomische Entwicklungsrückstand Kaliningrads ist nicht nur durch die Exklavenlage der Region, sondern in erster Linie durch interne Entwicklungsschwierigkeiten bedingt. Die Einschätzung, dass Governance-Defizite das wesentliche Entwicklungshemmnis der Kaliningrader Oblast' darstellen, wird auch von Beobachtern vor Ort geteilt: »Was tatsächlich die Entwicklung des Gebietes verhindert, ist die unzulängliche Steuerung der Prozesse in Wirtschaft und Politik, die Ineffektivität der Verwaltung in den Bereichen der Unternehmensführung, [...] der Zivilgesellschaft, [...] der Organe der kommunalen Selbstverwaltung, der föderalen Institutionen, der Gebietsduma und der Gebietsadministration.«[14]

Der Bestand an politikwissenschaftlichen Forschungsarbeiten zu den innenpolitischen Verhältnissen in der Kaliningrader Oblast' ist überschaubar.[15] Die Mehrzahl der Publikationen bezieht sich auf die wirtschaftliche und politische Integration der Kaliningrader Region in den europäischen Raum. Themengebiete wie der Status der Exklave vor dem Hintergrund der Beziehungen zwi-

---

12 »Die Probleme, vor denen die kommunale Selbstverwaltung im Kaliningrader Gebiet steht, ähneln sehr den Problemen anderer Regionen Russlands.« siehe Gercik, I.: Organizacija mestnogo samoupravlenija v Kaliningradskoj Oblasti, in: Mestnoe samoupravlenie, Beilage zum Journal Severnaja Pal'mira, St. Petersburg, 1997, S. 2, siehe http://snpi.org.ru/index.php?do=biblio&doc=248 (zuletzt geöffnet am 24.2.2007).
13 Zum Ausnahmetyp der autonomen russischen Stadt siehe Gel'man 2003b.
14 Efremenko, Oleg: Na mifach upravlenie ne ulučšit', Kaliningradskaja Pravda, 14.1.2003.
15 Major, Viktor: Kaliningrad/Königsberg: Auf dem schweren Weg zurück nach Europa, Münster 2001; Moses, Joel C.: Political-economic elites and Russian regional elections 1999-2000. Democratic tendencies in Kaliningrad, Perm and Volgograd, in: Europe-Asia Studies, Vol. 54, 6/2002, S. 905-931, vor allem S. 916-920.

schen der Russischen Föderation und der Europäischen Union[16], die Sonderwirtschaftszone Kaliningrad[17] und Fragen des Grenzregimes stehen im Mittelpunkt der Forschung. An der Universität Kaliningrad gibt es eine Reihe von
Veröffentlichungen zu den Chancen und Hindernissen der regionalen Entwicklung, die aber keine systematischen Analysen der Regionalpolitik enthalten.[18]

Da die typologische Einordnung des politischen Systems der Russischen Föderation in der Transformationsforschung umstritten ist, wird in der Arbeit auf
der Grundlage der Terminologie von Wolfgang Merkel ein eigenes einfaches
Typensystem aufgestellt, das erlaubt, zwischen Demokratien, defekten Demokratien und kompetitiv-autoritären Regimes zu unterscheiden.[19] Das Fehlen
einer theoriegeleiteten Analyse kommunaler Selbstverwaltung, die sich auf
den Kontext von Transformationsgesellschaften anwenden lässt, machte es
jedoch erforderlich, im zweiten Abschnitt des Theorieteils ein komprimiertes
Selbstverwaltungsmodell zu entwickeln, das sich für die Charakterisierung
der Kaliningrader Realität praktisch nutzen lässt. In Kapitel 2 wird ein Überblick über den Verlauf der Kommunalreformen in der Russischen Föderation
seit dem Ende der Perestroika bis zum heutigen Tag gegeben. Das 3. Kapitel
widmet sich den Problemen, die den Institutionalisierungsprozess eines demokratischen Selbstverwaltungsmodells in Kaliningrad bis zum Jahr 1998 beglei-
teten. In Kapitel 4 werden die maßgeblichen Akteure der Kaliningrader Kommunalpolitik vorgestellt: Neben einem ausführlichen Porträt des Bürgermeisters Jurij Savenko findet hier auch das Profil des Stadtrates Platz. Außerdem

---

16   Vetter, Reinhold: Kaliningrad und die Osterweiterung der Europäischen Union, in:
      Osteuropa, Jg. 50, 2/2000, S. 144-160; Timmermann, Heinz: Kaliningrad. Eine
      Pilotregion für die Gestaltung der Partnerschaft EU-Russland?, in: Osteuropa, Jg.
      51, 9/2001, S. 1036-1066.

17   Siehe u.a. Schmidt, Robert: Das Kaliningrader Gebiet (Sonderwirtschaftszone
      Jantar): Kompetenzabgrenzungsvertag einerseits und Föderalgesetz »Über die
      Sonderwirtschaftszone Jantar« andererseits – Ein harmonisches Nebeneinander?,
      in: Osteuropa Recht, Jg. 47, H. 1-2/2001, S. 1-14; Stein, Stephan: Aufstieg, Fall
      und Neuanfang. Zehn Jahre Sonderwirtschaftszone Kaliningrad, in: Osteuropa,
      Jg. 53, 2-3/2003, S. 335-367.

18   Siehe z.B. Klemešev, A.P.; Kozlov, S.D.; Fëdorov; G.M.: Osobaja territorija Rossii,
      Kaliningrad 2003. Zur russischen Sicht auf die Kaliningrader Oblast' siehe Kara-
      beshkin; Wellmann 2004.

19   Siehe Merkel, Wolfgang: Systemtransformation, Opladen 1999.

wird auf den Entwicklungsstand des Mediensystems und der Zivilgesellschaft in der Stadt eingegangen. Nachdem die Frage behandelt wurde, warum eine Konsolidierung kommunaler Demokratie nach 1998 nicht stattgefunden hat, konzentriert sich Kapitel 5 auf Probleme der kommunalen Autonomie. Es soll hier an erster Stelle das konfliktreiche Verhältnis der Stadtverwaltung zur Gebietsadministration erläutert werden. An zweiter Stelle werden die Auswirkungen der föderalen Politik auf die Kommune thematisiert. Das 6. Kapitel stellt eine Klammer zwischen der staatlichen und der lokalpolitischen Ebene dar: Hier wird dargestellt, welche Auswirkungen die putinsche Zentralisierungspolitik auf die Stadt Kaliningrad hat und welche Folgen für das kommunale Verwaltungsmodell zu erwarten sind.

Für mein Verständnis der russischen Kommunalpolitik war von grundlegender Bedeutung, dass ich im Mai 2004 die Gelegenheit hatte, in Kaliningrad Gespräche mit Kommunalbeamten, Journalisten und Dozenten der Kaliningrader Staatsuniversität zu führen. Die Quellenbasis für die Darstellung der kommunalen Transformationsprozesse stellen Zeitungsartikel der Kaliningrader Lokalpresse dar, die im Zeitraum von 1996 bis 2005 erschienen sind. Die Ausführlichkeit der Presseauswertung war durch die Benutzung einer Online-Datenbank möglich.[20] Die Übersetzungen der Artikel stammen von mir.

---

20   Integrum worldwide, siehe http://www.integrumworld.com/test/ (zuletzt geöffnet am 24.2.2007).

1 Theorie

Um eine Analyse des kommunalen Systems vornehmen zu können und seine Grundeigenschaften zu charakterisieren, benötigt man sinnvolle Indikatoren. Da bisher, wie bereits erwähnt, noch keine kohärente Theorie der kommunalen Selbstverwaltung entwickelt wurde, möchte ich auf die Annahmen der Demokratietheorie zurückgreifen, die im Rahmen der deutschen Transformationsforschung aufgestellt worden sind.

1.1 Periodisierung des Transformationsprozesses

In der Transformationsforschung ist es üblich, den Prozess des Systemwandels in Phasen zu gliedern.[21] Die Phaseneinteilung des Systemwandels gliedert Merkel folgendermaßen:

a) Ablösung des alten Regimes
b) Institutionalisierung der Demokratie
c) Konsolidierung der Demokratie [22]

Auf den Ablösungsprozess soll an dieser Stelle nicht eingegangen werden. Bemerkt sei nur, dass er in der UdSSR/RF vollständig von den alten Regimeeliten eingeleitet und gesteuert wurde.[23] Dies gilt auch für die Kommunalreformen in der Spätphase der Perestroika, die nicht ›von unten‹ erzwungen, sondern ›von oben‹ initiiert wurden.

Institutionalisierung
Die Institutionalisierungsphase ist »der Abschnitt innerhalb eines Systemwechsels, in dem die neuen demokratischen Institutionen etabliert werden.«[24] Die Macht geht von den Repräsentanten des ancien regime auf »ein ›Set‹

---

21   Für einen Überblick zu verschiedenen Periodisierungskonzepten siehe Merkel 1999, S. 119-122.
22   Ebenda, S. 136.
23   Ebenda, S. 123-134.
24   Ebenda, S. 137.

institutionalisierter Regeln [über], die von allen anerkannt werden müssen und für alle, d.h. für Regierende und Regierte gleichermaßen, gelten.«[25] Die Institutionalisierung ist eine ungesicherte Übergangsphase, in der die Regeln und Institutionen des alten Regimes bereits wirksam außer Kraft gesetzt sind, während die neue Institutionenordnung noch nicht installiert worden ist. Ihren Höhepunkt findet diese Phase des Transformationsprozesses nach Ansicht von O'Donnell/Schmitter bereits mit den ersten freien Wahlen (»founding elections«)[26], Merkel hingegen hebt die Bedeutung der Verabschiedung einer neuen demokratischen Verfassung als wichtigeren Einschnitt hervor.[27]

Die Signifikanz dieser Zeitspanne besteht darin, dass die dominierenden Akteure mit der Verfassungsgebung die Regeln festschreiben, die den politischen Prozess nach Abschluss der Phase regulieren werden. Ausschlaggebend für den Typ der Verfassung, der beschlossen wird, sind verschiedene Einflussfaktoren wie z.B. die Machtverhältnisse und Eigeninteressen der beteiligten Akteure und die verfassungsrechtlichen Traditionen des jeweiligen Landes, an die angeknüpft werden soll. Auch der Vorbildcharakter erprobter, effektiver Verfassungsmodelle anderer Staaten hat Einfluss auf die Wahl der Verfassung.[28] Die Qualität der Verfassung wird demzufolge hauptsächlich in der Institutionalisierungsphase bestimmt.

Langfristig wirkende, einschneidende Effekte auf die Konsolidierungschancen hat außerdem die Frage, ob der Verfassungsgebungsprozess durch ein »inklusives Gründungsbündnis der Eliten zur Herstellung demokratischer Institutionen«[29] getragen wird und ob »in der Bevölkerung eine breitere Akzeptanz der neuen Verfahren« hergestellt werden kann.[30]

Die Institutionalisierungsphase der Demokratie in der Russischen Föderation war außergewöhnlich langgestreckt und konfliktbelastet. Sie war zunächst

---

25   Ebenda, S. 137.
26   Siehe O'Donnell, Guillermo A.; Schmitter, Philippe C.: Transitions from Authoritarian Rule, Bd. 5: Tentative conclusions about uncertain democracies, Boulder/Col. 1986, S. 61-64.
27   Merkel 1999, S. 143.
28   Zu den Erklärungsansätzen für die Etablierung verschiedener Verfassungstypen siehe Merkel 1999, S. 141-143.
29   Merkel et al. 2003, S. 226.
30   Ebenda.

durch die Neugründung der Russischen Föderation und später durch die schrittweise Eskalation des Konflikts zwischen dem russischen Präsidenten und dem Volksdeputiertenkongress geprägt und fand erst mit dem Verfassungsreferendum im Dezember 1993 ihren Abschluss.[31] Die Tatsache, dass der Verfassungsgebungsprozess gewaltsam war, wird von Merkel als »Geburtsfehler der russischen Demokratie« gewertet.[32]

Konsolidierung

Die begriffliche Fassung der Konsolidierungsphase hat sich in der Transformationsforschung als kompliziert erwiesen.[33] Konsolidierung bedeutet, dass »die hinreichenden Minimalbedingungen von Demokratie dauerhaft gesichert werden und effektiv funktionieren. [...] Die in der Transition etablierten Institutionen und politischen Verfahren werden [in dieser Phase, T.B.] wirksam und das politische Handeln der relevanten Akteure wird dauerhaft an die Regeln der neuen demokratischen Ordnung gebunden.«[34]

Nach Merkel ist das wichtigste Kriterium der Konsolidierungsphase die Festigung der politischen und staatlichen Institutionen.[35] Sie müssen einerseits »situationsangemessene Ordnungs- und Steuerungsleistungen [...] erbringen (objektive Dimension) und andererseits symbolisch-integrative Wirkung auf das Handeln der Eliten und die Einstellungsmuster der Bevölkerung [...] entfalten (normative Dimension).«[36] Das bedeutet auch, dass die politisch relevanten Akteure die neuen Regeln und Normen internalisieren: »Damit Institutionen funktionieren, also Normen und Regeln zu effektiven Handlungsorientierungen werden, müssen sie nicht nur konsistent und vernünftig konzipiert sein, sondern auch von individuellen und kollektiven Akteuren akzeptiert werden.«[37] Nach Linz und Stepan ist eine konsolidierte Demokratie ein »political regime in which democracy as a complex system of institutions, rules and

---

31   Zur Institutionalisierungsphase der Demokratie in der Russischen Föderation siehe Merkel 1999, S. 480-484.
32   Ebenda, S. 484.
33   Zur Diskussion siehe Merkel 1999, S. 144 und Merkel et al. 2003, S. 19-30.
34   Merkel et al. 2003, S. 22.
35   Ebenda, S. 23.
36   Ebenda.
37   Ebenda, S. 199.

patterned incentives and discentives has become, in one phrase, ›the only game in town‹.«[38] Gemäß Merkel muss die Festigung der staatlichen konstitutionellen Institutionen auf weiteren (gesellschaftlichen) Ebenen abgestützt werden. Um diese Prozesse zu verdeutlichen, führt er drei zusätzliche analytische Konsolidierungsebenen ein:

a) repräsentative Konsolidierung
b) Verhaltenskonsolidierung
c) Konsolidierung der Bürgergesellschaft

Die *repräsentative Konsolidierung* eröffnet den Blick auf die Notwendigkeit konsolidierter Parteien- und Verbändesysteme für die Stabilität liberaler Demokratien.[39] Die *Verhaltenskonsolidierung* bezieht sich auf den Prozess der Inklusion machtvoller Akteure wie Militärs, Wirtschaftseliten und integrierter politischer Gruppen in das demokratische System.[40] Die *Konsolidierung der Bürgergesellschaft*, die in der Ausprägung einer pluralistischen Struktur und einer *civic culture* ihren Ausdruck findet, sichert eine Sphäre gesellschaftlicher Autonomie und die eigenständige Interessenakkumulation auf der Ebene der *grass roots*.

Konsolidierung soll in dieser Arbeit als ein analytischer Begriff gebraucht werden, der eine ergebnisoffene Phase beschreibt, deren Entwicklungsziel – eine etablierte liberale Demokratie – durchaus verfehlt werden kann. Die Konsolidierungsphase kann sowohl zur Ausbildung und Stabilisierung einer defekten Demokratie, als auch zur Regression des Systems und seiner Wandlung in ein autoritäres Regime führen.

1.2 Typologie von Transformationssystemen

Neben der Verlaufsperspektive spielt in der Transformationsforschung auch die Typologisierung politischer Systeme eine wichtige Rolle. Mit der Entwick-

---

38 Linz, Juan J.; Stepan, Alfred: Problems of democratic transition and consolidation, London 1996, zit. nach Knobloch 2000, S. 6.
39 Zur Konsolidierung von Parteiensystemen siehe Merkel 1999, S. 156-159, zum Verbändesystem ebenda, S. 159-162.
40 Merkel 1999, S. 162-164.

lung von Typen sollen analytische Begriffe geprägt werden, welche die Funktionsmechanismen unterschiedlicher politischer Systeme angemessen beschreiben. Als Ausgangspunkt dient hierfür die klassische Trias der Herrschaftsformenlehre: Demokratie, autoritäre Systeme und totalitäre Systeme.[41] Merkel weist in diesem Zusammenhang darauf hin, dass man autoritäre und totalitäre Systeme klar voneinander trennen sollte und unterstellt, dass »die Trennlinien zwischen demokratischen und nicht-demokratischen Systemen schärfer sind als zwischen autoritären und totalitären Regimes.« [42]

Zur Kategorisierung »hybrider Systemtypen«, die sich in der Grauzone zwischen Autoritarismus und liberaler Demokratie befinden, entwickeln Merkel et al. eine *Theorie defekter Demokratie* und entwerfen ein anspruchsvolles System von Subtypen, die sich durch spezifische Demokratiedefizite auszeichnen.[43] Die Entwicklung dieser Typologie ist die logische Konsequenz der Feststellung, dass die »dritte Welle der Demokratisierung [als Folge des Zusammenbruchs des Kommunismus in Osteuropa, T.B.] weniger ein Triumph der liberalen Demokratie, als vielmehr eine Erfolgsgeschichte ›defekter‹ Varianten der Demokratie werden könnte.«[44] Diese Befürchtung wird aus der Beobachtung gespeist, dass es in den postkommunistischen Staaten zwar zur Einführung vollständiger Sets demokratischer Institutionen gekommen ist, eine umfassende Konsolidierung dieser Strukturen, welche die Etablierung liberaldemokratischer Verfahren und Einstellungen umfasst, jedoch nicht stattgefunden hat. Vielmehr kam es regelmäßig zur »Pervertierung« [45] der eingeführten Institutionensysteme. Von autoritären Regimes unterscheiden sich defekte Demokratien nach Merkel et al. aber immer noch dadurch, dass sich trotz gravierender Demokratiedefizite die Machthaber durch Wahlen legitimieren lassen.

Die Hauptkritik an der Theorie defekter Demokratien, wie sie überzeugend und ausführlich bei Knobloch ausgeführt ist, setzt daran an, dass die Theorie

---

41   Ebenda, S. 23-56.
42   Ebenda, S. 34.
43   Merkel et al. 2003.
44   Ebenda, S. 11.
45   Ebenda, S. 13; zum Verständnis des Konzepts der Konsolidierung siehe Merkel 1999, S. 143-170.

Merkels es zwar erlaubt, gravierende Demokratiedefizite politischer Systeme zu erfassen, dabei aber die grundlegende Unterscheidung zwischen autoritären und demokratischen Regimes aus dem Blick gerät.[46] Die einseitige Fixierung auf die Existenz formaler Institutionen, vor allem auf das Wahlregime, führe zu Fehlbewertungen. Knobloch wie auch Maćków teilen die Einschätzung Merkels nicht, die RF sei Anfang der 2000er Jahre »eine illiberale Demokratie mit delegativen Zügen« gewesen, sondern zählen sie zu den autoritären Regimetypen.[47] Maćków argumentiert, die unreflektierte Einordnung autoritärer postkommunistischer Systeme als defekte Demokratien rühre daher, dass ihr »posttotalitärer Charakter« in der Politikwissenschaft weithin nicht erkannt wird.[48]

Tatsächlich sind die analytischen Kriterien zur Unterscheidung von autoritären und demokratischen Systemen bei Merkel et al. schwächer entwickelt als die Kriterien zur Unterscheidung der verschiedenen Subtypen defekter Demokratien. Die Grenze zwischen Autokratie und Demokratie wird zwar begrifflich gefasst, es werden aber keine Kategorien entwickelt, um diese Grenze analytisch nachvollziehbar zu machen.[49] Zudem wird die meines Erachtens notwendige Entwicklung von Subtypen autoritärer Systeme zur Erfassung hybrider Systeme abgelehnt.[50] Dies führt dazu, dass Systeme in der »Grauzone« zwischen Demokratie und Autokratie theoretisch unreflektiert unter die Typologie defekter Demokratien subsumiert werden.[51] Diese Vorgehensweise ist nicht nur aus demokratietheoretischer Sicht unbefriedigend, sondern schafft außerdem Probleme für die Erforschung und Charakterisierung des politischen Systems der Russischen Föderation, da, wie selbst bei

---

46   Knobloch, Jörn: Defekte Demokratie oder keine? Das politische System Russlands, Münster 2002.

47   Merkel et al. 2003, S. 167; zur Kritik siehe Maćków, Jerzy: Autoritarismen oder »Demokratien mit Adjektiven«? Überlegungen zu Systemen der gescheiterten Demokratisierung, in: Zeitschrift für Politikwissenschaft, Jg. 10, 4/2000, S. 1471-1499.

48   Zur Argumentation siehe Maćków 2000., S. 1471-1499.

49   »Defekte der institutionellen Minima der Demokratie dürfen das demokratische Spiel nicht so weit pervertieren, dass es nur noch die formal-demokratische Fassade für autoritäre Praktiken abgibt.« Merkel et al. 2003, S. 65.

50   Ebenda, S. 31-33.

51   Ebenda, S. 30-38.

Merkel et al. zu lesen ist, die meisten Transformations- und Osteuropaforscher der Überzeugung sind, dass Russland »zwischen Autokratie und Demokratie« pendelt.[52] Die Einführung eines adäquaten Autoritarismuskonzepts
ist für die vorliegende Arbeit deshalb von großer Bedeutung. Der von mir verwandte Autoritarismusbegriff stützt sich dabei auf die klassische Definition
von Juan Linz.[53] Da dessen Typologie autoritärer Regime auf der Grundlage
von politischen Systemen des vergangenen Jahrhunderts entwickelt wurde
und die aktuelle Entwicklung in postkommunistischen Ländern nicht widerspiegelt, soll der von Levitsky und Way vorgeschlagene Begriff des *competitive authoritarianism* (im folgenden in der Übersetzung als *kompetitiver Autoritarismus* bezeichnet) für die Analyse fruchtbar gemacht werden.[54]

Liberale rechtsstaatliche Demokratie
Der Ausgangspunkt für Merkels Demokratiemodell ist ein minimales Konzept
der liberalen rechtsstaatlichen Demokratie, das in Anlehnung an Dahls Modell
der Polyarchie entwickelt wurde.[55] Merkels Definition beruht auf der Annahme, dass Demokratie kein »beliebig zu definierender Begriff« [56] ist, sondern
eine Kernbedeutung enthält, die man beschreiben kann. Eine Demokratie
zeichnet sich durch drei Grunddimensionen aus – die vertikale Legitimationsdimension, die konstitutionelle Dimension und die rechtsstaatliche Dimension
– deren Zusammenwirken folgenden Idealtyp ergibt:

> »»Demokratie‹ (als Kurzform für liberale rechtsstaatliche Demokratie)
> soll definiert sein als ein Set institutioneller Minima, das erstens eine
> vertikale Dimension demokratischer Herrschaft bezeichnet, nämlich
> vertikale Machtkontrolle, universelles aktives und passives Wahlrecht
> und die effektive Gewährleistung der damit verbundenen grundlegen-

52   Ebenda, S. 164; mit Verweisen auf Beyme, Klaus von: Russland zwischen Anarchie und Autokratie, Wiesbaden 2001; und Beichelt, Timm: Die slawischen GUS-
      Staaten zwischen Autokratie und Demokratie; Frankfurt Institut für Transformationsforschung, Discussion Paper Nr. 5/2000.
53   Linz, Juan J.: Totalitäre und autoritäre Regime [1975], hg. von Raimund Krämer,
      Berlin 2000.
54   Levitsky, Steven; Way, Lucan A.: The rise of competitive authoritarianism, in:
      Journal of Democracy, Vol. 13, 2/2002, S. 51-65.
55   Dahl, Robert A.: Polyarchy. Partizipation and Opposition, New Haven/London
      1971.
56   Merkel et al. 2003, S. 40.

den politischen Partizipationsrechte; zweitens eine horizontale Dimension, also Herrschaftskontrolle im Rahmen der gewaltenteiligen Organisation der Staatsgewalt und der rechtsstaatlichen Herrschaftsausübung; drittens eine transversale Dimension, also die effektive Zuordnung der Regierungsgewalt zu den demokratisch legitimierten Herrschaftsträgern.«[57]

Deutlich wird die Hervorhebung der *vertikalen Legitimationsdimension*: Um von einer liberalen und rechtsstaatlichen Demokratie sprechen zu können, muss die Ausübung politischer Macht durch freie, gleiche und geheime Wahlen, politischen Wettbewerb und die effektive Gewährleistung von Partizipationsrechten vertikal legitimiert sein. In liberalen Demokratien kann Herrschaft daher nur durch das Prinzip der Volkssouveränität begründet werden, da es eine Kontrolle der Macht von oben nach unten sichert. Außerdem müssen das Prinzip der Gewaltenteilung realisiert sein und die Akteure und Institutionen sich an die verfassungsrechtlich definierten Spielregeln halten (*konstitutionelle Dimension*). Die *rechtsstaatliche Dimension* schützt vor Eingriffen in individuelle und kollektive Freiheitsrechte. Grundlegend hierfür ist, dass in liberalen Demokratien das Recht das zentrale Herrschaftsmittel ist. Rechtsnormen müssen außerdem verfassungs- und rechtsstaatsgemäß zustande kommen.

Defekte Demokratie
Um Demokratiedefekte angemessen beschreiben zu können, ist das minimalistische Konzept der Demokratie durch Merkel et al. zum »universalistischen Demokratiekonzept« der »*embedded democracy*«[58] weiterentwickelt worden. Dieses Konzept geht von der Prämisse aus, dass es sich bei modernen Demokratien um komplexe Institutionenarrangements handelt. Demokratie wird als ein Gefüge von fünf systemnotwendigen Teilregimes verstanden, deren gemeinsames Funktionieren wiederum an vorauszusetzende Bedingungen – die Existenz eines souveränen und funktionsfähigen Territorialstaates und eines marktorientierten, vom Staat nicht völlig kontrollierten Wirtschaftssystems sowie ein Mindestmaß an Säkularisierung der Politik und der Gesell-

---

57   Ebenda, S. 47.
58   Siehe Merkel et al. 2003, S. 48-64.

schaft – gebunden ist. Die demokratienotwendigen Teilregime werden folgendermaßen benannt:

a) Wahlregime (Herrschaftslegitimation und Herrschaftszugang)

b) politische Teilhaberechte (Herrschaftslegitimation und Herrschaftszugang)

c) bürgerliche Freiheitsrechte (Herrschaftsanspruch und Herrschaftsweise)

d) horizontale Gewaltenteilung (Herrschaftsstruktur) und

e) effektive Regierungsgewalt (Herrschaftsmonopol). [59]

Defekte Demokratien werden als »Herrschaftssysteme [definiert, T.B.], die sich durch das Vorhandensein eines weitgehend funktionierenden demokratischen Wahlregimes [Unterpunkt a), T.B.] zur Regelung des Herrschaftszugangs auszeichnen, aber durch Störungen in der Funktionslogik eines oder mehrerer der übrigen Teilregime [II bis V, T.B.] die komplementären Stützen verlieren, die in einer funktionierenden Demokratie zur Sicherung von Freiheit, Gleichheit und Kontrolle unabdingbar sind.« [60]

Der Wahlmechanismus als Kern der vertikalen Legitimationsdimension bleibt in defekten Demokratien intakt, aber die Ausübung der Macht entspricht nicht rechts- und verfassungsstaatlichen Kriterien, denn die »politischen Eliten versorgen sich in freien und demokratischen Wahlen mit demokratischer Legitimität, reproduzieren ihre Macht jedoch primär über extralegale und informale institutionelle Arrangements. Diese brechen die Funktionscodes der formalen Institutionen und verformen oder verdrängen sie als relevante Verfahren und Entscheidungsregeln.« [61] In Abhängigkeit davon, welches Teilregime in welchem Maße beschädigt ist, unterscheidet Merkel zwischen vier Subtypen defekter Demokratie:

---

59 Merkel et al. 2003, S. 50-56. Die in den Klammern enthaltenen Anmerkungen stellen den Bezug zu den weiter oben erläuterten sechs Kriterien dar. Das Teilregime der effektiven Herrschaftsgewalt bezieht sich auf die systemische Notwendigkeit, dass demokratisch legitimierte Institutionen und Akteure tatsächlich die ausschließliche Kontrolle über das staatliche Herrschaftsmonopol haben.

60 Merkel et al. 2003, S. 66.

61 Ebenda, S. 28.

Subtypen defekter Demokratie	Beschädigte Teilregime	Beschädigte Dimension
Exklusive Demokratie	Wahlregime (I) Politische Teilhaberechte (II)	Vertikale Legitimations- und Kontrolldimension
Illiberale Demokratie	Bürgerliche Freiheitsrechte (III)	Rechtsstaat
Delegative Demokratie	Gewaltenkontrolle (IV)	Horizontale Kontrolldimension
Enklavendemokratie	Effektive Herrschaftsgewalt	Effektive Herrschaftsgewalt

Quelle: Merkel et al. 2003, S. 69.

Die Subtypen defekter Demokratien zeichnen sich durch folgende Merkmale aus:[62] Von *exklusiver Demokratie* ist die Rede, wenn wesentlichen Bevölkerungsteilen das Wahlrecht de jure oder de facto vorenthalten wird, sei es auf Grundlage ethnischer, sozialer oder geschlechtsbezogener Ausschlussverfahren. *Illiberale Demokratien* zeichnen sich dadurch aus, dass Grund- und Bürgerrechte durch den Staat systematisch verletzt werden. Eine *delegative Demokratie* liegt vor, wenn die horizontale Dimension der Gewaltenteilung beschädigt ist und die Exekutive unter Verletzung verfassungsrechtlicher Normen ihren Einfluss auf Kosten der Legislative und Judikative ausdehnt. In *Enklavendemokratien* ist das Herrschaftsmonopol nicht unter der ausschließlichen Kontrolle demokratisch legitimierter Institutionen und Akteure. »Vetomächte« wie Militär, Unternehmer, Großgrundbesitzer etc. üben Kontrolle

---

62   Ebenda, S. 70-73, en detail S. 239-288.

über einzelne Politikbereiche aus, ohne dass ihr Einfluss demokratisch legitimiert ist.

Kompetitiver Autoritarismus

Die sozialwissenschaftliche Forschung ist stark durch die Autoritarismusdefi-
nition von Juan Linz beeinflusst worden.[63] Linz definiert autoritäre Systeme
als politische Systeme, die

> »einen begrenzten, nicht verantwortlichen politischen Pluralismus ha-
> ben, die keine ausgearbeitete und leitende Ideologie, dafür aber aus-
> geprägte Mentalitäten besitzen, in denen keine extensive oder intensi-
> ve politische Mobilisierung – von einigen Momenten in ihrer Entwick-
> lung abgesehen – stattfindet und in denen ein Führer oder manchmal
> eine kleine Gruppe die Macht innerhalb formal kaum definierter, aber
> tatsächlich recht vorhersagbarer Grenzen ausübt«[64]

Auch Merkel orientiert sich an dieser begrifflichen Fassung des Autoritarismus und verweist darauf, dass politische Herrschaft in autoritären Regimen
nicht im Prinzip der Volkssouveränität wurzelt, sondern dass Gehorsam und
Loyalität gegenüber einem nationalen Führer oder einer kleinen Machtelite
gefordert wird.[65] Das aktive und passive Wahlrecht ist eingeschränkt oder
vollständig aufgehoben und die Machthaber sind dementsprechend nicht demokratisch legitimiert.[66] In autoritären Regimen existiert außerdem keine Gewaltenteilung, sondern die politische Macht konzentriert sich in der Exekutive.
Gleichzeitig sind im Unterschied zu totalitären Herrschaftsformen autoritäre
Regime durch einen »eingeschränkten politischen Pluralismus« und oft durch
eine ausgeprägte wirtschaftliche und soziale Vielfalt gekennzeichnet.[67] In
autokratischen Staaten werden Menschen- und Bürgerrechte systematisch

---

63   Merkel 1999, S. 36.
64   Linz 2000, S. 129. Der Begriff der »Mentalitäten« hat diesen Hintergrund: autoritä-
      re Herrschaft wird im Unterschied zu totalitärer Herrschaft nicht durch alles durch-
      dringende Weltanschauungen gerechtfertigt, sondern durch Rückgriff auf einzelne
      Werte oder Ideologien mit ›partiellem‹ Geltungsanspruch wie Patriotismus, Natio-
      nalismus, oder unter Bezugnahme auf spezifische Staatsziele wie z.B. innere und
      äußere »nationale Sicherheit«, Modernisierung etc. gesichert; siehe Merkel 1999,
      S. 36.
65   Zur Entfaltung des Autoritarismuskonzepts siehe Merkel 1999, S. 34-35.
66   Merkel 1999, S. 36.
67   Ebenda.

und regelmäßig verletzt. Ihre Geltung ist unmittelbar von der Gnade der Exekutive abhängig. Damit korrespondiert, dass autoritäre Herrschaft willkürlich ausgeübt wird und nicht konsequent an die Prinzipien des Rechts- und Verfassungsstaates gebunden ist.

Die durch Linz anhand historischer Analysen entwickelten Typen autoritärer Regime verwirft Merkel mit der Begründung, dass sie »politikwissenschaftlich nicht hinreichend systematisch« [68] sind. Stattdessen stellt er den Kriterien »Herrschaftslegitimation« und »Herrschaftsträger« folgend neun neue Typen autoritärer Herrschaft vor, die er als die »Grundtypen autoritärer Herrschaft im 20. Jahrhundert« bezeichnet.[69] Merkel folgt Linz' Vorschlag nicht, dass zur Erfassung der »hybriden Systeme« der dritten Demokratisierungswelle neue Subtypen autoritärer Regime entwickelt werden sollten, weil er eine »Regression zur offenen Autokratie« als unwahrscheinlichen Transformationspfad aus der Betrachtung ausschließt.[70]

Meiner Meinung nach ist die Bildung von Subtypen autoritärer Systeme jedoch notwendig, da die politische Entwicklung in den Ländern der ehemaligen Sowjetunion zur Herausbildung einer Vielzahl autoritärer Mischtypen geführt hat, deren Funktionslogik bis zum jetzigen Zeitpunkt theoretisch nur ungenügend erfasst ist. In dieser Arbeit soll deshalb der von Levitsky und Way entwickelte Typ des *competitive authoritarianism* gebraucht werden.[71] Dieser Modelltyp hat den Vorteil, dass er sich klar von defekten Demokratien abgrenzen lässt. Gleichzeitig beziehen Levitsky und Way die Unterschiede zu einem *voll entwickelten* Autoritarismus mit ein, der sich dadurch auszeichnet, dass der Wahlmechanismus vollständig ausgesetzt ist und/oder das Verfas-

---

68   Autoritarismustypen nach Linz: Bürokratisch-militärische Regime, korporatistisch-autoritäre Regime, mobilisierende autoritäre Regime, nachkoloniale autoritäre Regime, Rassen- und ethnische »Demokratien«; unvollständig totalitäre und prä-totalitäre Regime, posttotalitäre autoritäre Regime; siehe Merkel 1999, S. 36.
69   Merkel 1999, S. 37f.: 1. Kommunistisch-autoritäre Regime, 2. Faschistisch-autoritäre Regime, 3. Militärregime, 4. Korporatistisch-autoritäre Regime, 5. Rassistisch-autoritäre Regime, 6. Autoritäre Modernisierungsregime, 7. Theokratisch-autoritäre Regime, 8. Dynastisch-autoritäre Regime, 9. Sultanistisch-autoritäre Regime.
70   Siehe Merkel et al. 2003, S. 31-33 und S. 10.
71   Siehe Levitsky; Way 2002.

sungs- und Rechtsstaatsprinzips vollkommen liquidiert ist. Levitsky und Way definieren den kompetitiven Autoritarismus wie folgt:

»In competitive authoritarian regimes, [...] violations [der Minimalkriterien liberaler rechtsstaatlicher Demokratie, T.B.] are both frequent enough and serious enough to create an uneven playing field between government and opposition. Although elections are regularly held and are generally free of massive fraud, incumbents routinely abuse state resources, deny the opposition and adequate media coverage, harass opposition candidates and their supporters and in some cases manipulate electoral results. Journalists, opposition politicians and other government critics may be spied on, threatened, harassed, or arrested. Members of the opposition may be jailed, exiled or – less frequently – even assaulted or murdered.«[72]

In kompetitiv-autoritären Regimen mögen, so Levitsky und Way, die Machthaber zwar systematisch Institutionen der Verfassungsordnung manipulieren und ihre Macht willkürlich und auch unter Einsatz von Gewalt ausüben, sie können jedoch die formalen Spielregeln der (demokratischen) Verfassung nicht wie im *full-scale authoritarianism* eliminieren und den Konstitutionalismus auf eine bloße Fassade reduzieren.[73]

Die für die vorliegende Arbeit relevante Unterscheidung, ob es sich in Kaliningrad um eine *defekte* kommunale Demokratie oder um ein *kompetitiv-autoritäres* kommunales Regime handelt, kann nach Levitsky und Way durch folgendes Kriterium getroffen werden: Von einem *kompetitiv-autoritären* Regime ist dann zu sprechen, wenn das Aktionsfeld zwischen Machthabern und der (potentiellen) Opposition[74] trotz stattfindender Wahlen und trotz eines begrenzten Konstitutionalismus so weit zugunsten ersterer verschoben wurde, dass eine autonome Reproduktion der Macht durch die Elite bzw. den politischen Führer nicht nur theoretisch möglich ist, sondern tatsächlich umgesetzt wird.[75]

---

72   Russland unter der Präsidentschaft Putins wird von Levitsky und Way als ein kompetitiv-autoritäres Regime bezeichnet, siehe Levitsky; Way 2002, S. 52.

73   Ebenda, S. 53.

74   Der Begriff der Opposition wird hier in einem weitgefassten Sinne gebraucht. Er bezeichnet nicht nur die parteipolitische Opposition, sondern betrifft die Gesamtheit konkurrierender Einstellungen innerhalb einer Gesellschaft.

75   Siehe Levitsky; Way 2002, S. 53.

1.3 Kommunale Selbstverwaltung

Das deutsche Verständnis von kommunaler Selbstverwaltung ist für die beabsichtigte Untersuchung wenig geeignet, da die Geschichte der deutschen kommunalen Verwaltung eng mit einer autokratischen Staatstradition verflochten ist. Dies spiegelt sich auch in der Begrifflichkeit wider, da man in Deutschland von kommunaler Selbst*verwaltung* und nicht von kommunaler Selbst*regierung* spricht, wie dies in Ländern der Fall ist, die durch die Tradition des *self-rule* geprägt sind.[76] Der russische Begriff *Mestnoe samoupravlenie* kann ebenfalls nur unter Vorbehalten verwendet werden, da er nicht in der Tradition russischer und sowjetischer Staatlichkeit verankert ist.[77] So konnte Mildner nachweisen, dass »die lokale Selbstverwaltung [im vorrevolutionären Russland, T.B.] keine traditionellen Wurzeln« hat.[78] Nach Ansicht von Gel'man behinderte insbesondere der scharfe Konflikt zwischen lokaler Demokratie und nationaler Autokratie die Entstehung eines *local self-government* im Rahmen des Zemstvo-Systems.[79] Auch im sowjetischen Einheitsstaat schloss das Prinzip des demokratischen Zentralismus jede Form lokaler Selbstverwaltung kategorisch aus.[80] Die russisch-sowjetische politische Kultur ist daher eher als ein Hindernis für die Etablierung selbstständiger Gemeinden anzusehen.[81]

Das zentrale Problem bei der Aufstellung von Analysekriterien, mithilfe deren die Probleme kommunaler Selbstverwaltung in Russland untersucht werden können, besteht darin, dass es keine kohärente Theorie der kommunalen

---

76   Für einen historischen Abriss siehe: Saldern, Adelheid von: Geschichte der kommunalen Selbstverwaltung in Deutschland, in: Roth, Roland; Wollmann, Helmuth (Hg.): Kommunalpolitik. Politisches Handeln in den Gemeinden, Opladen 1994, S. 2-19.

77   Kralinski, Thomas: Die russische Kommunalverwaltung im Wandel: Im Osten was Neues?, in: Osteuropa Wirtschaft, Jg. 44, 1/1999, S. 55.

78   Mildner 1996, S. 1 und S. 43-57.

79   Gel'man 2002, S. 499. Mit dem Zemstvo-Statut von 1864 wurden Verwaltungs- und Vertretungsorgane auf der Gouvernements- und Kreisebene geschaffen. Da diese Institutionen vor allem auch eingeführt wurden, um die fehlende Repräsentation auf der nationalen Ebene zu kompensieren, war ihr Entfaltungsspielraum begrenzt. Das Stadtstatut von 1870 hatte einen ähnlichen Effekt für die städtischen Verwaltungen. Siehe auch Kralinski 1999, S. 55ff.

80   Zu den Gemeinden in der Sowjetunion siehe Mildner 1996, S. 58-75.

81   Zur politischen Kultur Russlands und den Auswirkungen auf die kommunale Politik siehe ebenda, S. 15-37.

Selbstverwaltung gibt, die auf den Kontext der Transformationsgesellschaften angewendet werden kann. Für diese Untersuchung erstelle ich deshalb ein Minimalkonzept. Ich beziehe mich dabei auf die Anforderungen, die sich aus den Kriterien kommunaler Selbstverwaltung ableiten lassen, wie sie in der Europäischen Charta der kommunalen Selbstverwaltung enthalten sind.[82] Außerdem benutze ich Kategorien zur begrifflichen Fassung kommunaler Demokratie, die im Rahmen der Transformationsforschung entwickelt worden sind, um politische Gesamtsysteme zu charakterisieren. Allerdings führt die Übertragung auf die kommunale Ebene zwangsläufig zu Verkürzungen, die ich jedoch in Kauf nehme.

In den Grundzügen wird die Entfaltung kommunaler Selbstverwaltung durch zwei Faktoren bestimmt. Zum einen durch die Gewährung von a) *tatsächlicher Autonomie bei der Lösung lokaler Fragen und Belange.* Dieser Punkt bezieht sich vor allem auf das Verhältnis der Gemeinden gegenüber den Institutionen des Zentralstaates sowie der Föderationssubjekte (Oblast', autonome Gebiete, Republiken). Auf der anderen Seite durch die b) *Institutionalisierung und Konsolidierung kommunaler Demokratie.* Dieser Punkt verweist auf die Notwendigkeit einer substanziellen Änderung der kommunalen Politik vom autoritären, bürokratischen Verwaltungsstil hin zu einer verantwortlichen Stadtpolitik durch gewählte Vertreter.

Nur wenn die Punkte a) und b) realisiert sind, kann man von der Existenz kommunaler Selbstverwaltung sprechen, denn die Dimensionen der kommunalen Demokratie und der kommunalen Autonomie sind eng miteinander verknüpft. Wenn dagegen die kommunale Autonomie durch willkürliche Eingriffe staatlicher Behörden bedroht wird bzw. wenn kommunale Organe politisch von höheren Ebenen abhängig sind, werden das Recht der Bevölkerung auf Selbstverwaltung ausgehöhlt und das Prinzip kommunaler Wahlen ad absurdum geführt, da kommunale Entscheidungen von Akteuren beeinflusst werden, die nicht durch Wahlen legitimiert sind.

Wenn in der Umkehr kommunale Verwaltungsorgane zwar autonom sind, die Prinzipien kommunaler Demokratie jedoch entweder gar nicht oder nur par-

---

82   Die Russische Föderation hatte die Europäische Charta der kommunalen Selbstverwaltung im Jahr 1998 ratifiziert.

tiell Anwendung finden, besteht die Gefahr, dass kommunale Eliten die ihnen zur Verfügung stehenden Ressourcen nutzen, um eine kommunale Autokratie bzw. eine kommunale Oligarchie zu etablieren.

Kommunale Autonomie

Gel'man definiert nach Goldsmith kommunale Autonomie als »the discretion local government possesses to act free from control by higher levels of government.«[83] Kralinski präzisiert diese Definition: »Die Unabhängigkeit der Kommunen ergibt sich aus ihrer institutionellen, wirtschaftlichen und politischen Unabhängigkeit von anderen (übergeordneten) Organen bzw. Systemen.«[84] Er präsentiert eine Liste von Hoheitsrechten, die einer selbstständigen Kommune im Rahmen ihrer Zuständigkeit unverkürzt zur Verfügung stehen müssen:

- Satzungs- und Rechtsetzungshoheit
- Personalhoheit
- Verwaltungshoheit
- Finanzhoheit (Budgetautonomie)
- Planungshoheit und
- Organisations- und Aufgabenhoheit. [85]

Kommunale Autonomie kann somit als die tatsächliche rechtliche, wirtschaftliche und politische Selbstständigkeit einer Kommune im Rahmen ihres Wirkungskreises definiert werden.

---

83 Goldsmith, Michael: Local Government in Europe; in: Judge, David; Stoker, Gerry; Wolman, Harold (Hg.): Theories of Urban Politics, London 1995, zit. nach Gel'man 2003b, S. 48. Nach Artikel 3, Absatz 1 der Europäischen Charta der kommunalen Selbstverwaltung bedeutet »kommunale Selbstverwaltung [...] das Recht und die tatsächliche Fähigkeit der kommunalen Gebietskörperschaften, im Rahmen der Gesetze einen wesentlichen Teil der öffentlichen Angelegenheiten in eigener Verantwortung zum Wohl ihrer Einwohner zu regeln und zu gestalten.«

84 Kralinski, Thomas: Die Transformation der russischen Kommunalverwaltung am Beispiel Moskaus, unveröffentlichte Magisterarbeit, Universität Leipzig, 1998, S. 17.

85 Kralinski 1998, S. 15.

Kommunale Demokratie

Zu den Grundbedingungen kommunaler Demokratie zählt die freie und faire, regelmäßig stattfindende Wahl des Bürgermeisters (Kreisrats) und der kommunalen Vertretungsorgane (Stadt- und Kreisräte).[86]

Das aktive und passive Wahlrecht muss für alle Wahlberechtigten der lokalen Bevölkerung garantiert sein. Außerdem müssen Möglichkeiten direkter Mitwirkung durch die Bürger bestehen, auch wenn Hürden zur Initiierung von Referenden, Bürgerversammlungen etc. legitim sind. Der Wettbewerb um ein Amt in den kommunalen Verwaltungsorganen muss offen sein. Zu diesem Zweck sind ein unabhängiges Mediensystem und eine differenzierte lokale Gesellschaft nötig. Die autonome Interessenakkumulation und -artikulation darf durch die örtliche Verwaltung nicht unterbunden und das Prinzip der Gewaltenteilung darf nicht aufgehoben werden. Außerdem müssen sich die kommunalpolitischen Akteure im Rahmen der Normen bewegen, die sowohl durch die Stadt- bzw. Kreissatzung als auch durch den Rechts- und Verfassungsstaat vorgegeben sind. Die Autonomie der Kommune gegenüber staatlichen Einrichtungen ist ebenfalls eine Grundbedingung kommunaler Demokratie, da im Falle einer Abhängigkeit der interne vertikale Legitimationsmechanismus unterbrochen wäre.

1.4 Typologie kommunaler Verwaltungssysteme

Die idealtypische kommunale Selbstverwaltung

Um von einer ›arrivierten‹ kommunalen Selbstverwaltung sprechen zu können, muss die Existenz der institutionellen (rechtlichen) Grundlagen gesichert sein, da diese die wirtschaftliche, rechtliche und politische Autonomie der Kommune gewährleisten. Außerdem muss die Kommune über Ressourcen verfügen (Macht, Finanzen), welche die Realisierung der Eigenständigkeit tatsächlich ermöglichen. Die Mindestanforderungen kommunaler Demokratie, wie sie in Kapitel 1.3 vorgestellt wurden, sollen erfüllt sein: Die Kommunal-

---

86   Dass der Bürgermeister nicht direkt gewählt wird, sondern indirekt durch frei gewählte Kommunalabgeordnete berufen wird, ist mit den Anforderungen kommunaler Demokratie vereinbar.

verwaltungsorgane müssen aus freien und fairen Wahlen hervorgehen. Der politische Wettbewerb darf nicht behindert werden und muss durch die Garantie von Freiheits- und Bürgerrechten institutionell geschützt sein. Die kommunalpolitischen Akteure dürfen sich nur im Rahmen der Normen bewegen, die durch die Stadt- bzw. Kreissatzung vorgegeben sind. Das Prinzip der Gewaltenteilung darf nicht auf Kosten eines einzelnen Verwaltungsorgans aufgehoben werden. Außerdem muss eine aktive Bürgerschaft, die sich aus unabhängigen Quellen informieren kann, eine Sphäre der autonomen Interessenakkumulation und -artikulation in der Kommune bilden.

Die defekte kommunale Selbstverwaltung
Defekte kommunale Selbstverwaltungen sind in verschiedenen Ausprägungen vorstellbar. Es ist zum einen möglich, dass die Bedingungen tatsächlicher Autonomie in einer Kommune zwar gegeben sind, sich jedoch eine kommunale Demokratie ausbildet, die durch Defekte gekennzeichnet ist. Nach Merkel bedeutet dies, dass zwar das Wahlregime als zentraler vertikaler Kontrollmechanismus aufrechterhalten wird, der oder die Machthaber die Herrschaft jedoch unter Umgehung rechtsstaatlicher Prinzipien ausüben. Das bedeutet, dass die kommunale Exekutive dazu neigt, die Macht zu monopolisieren, das Prinzip der Gewaltenteilung aufzuheben und regelmäßig Bürger- und Freiheitsrechte zu verletzen. Viele russische Kommunen können gemäß ihres Entwicklungsstands in der zweiten Hälfte der 90er Jahre zu diesem Typus der defekten kommunalen Selbstverwaltung gerechnet werden.[87]

Zum anderen wäre vorstellbar, dass innerhalb der Kommune zwar eine konsolidierte kommunale Demokratie vorliegt, die Autonomie der Selbstverwaltung aber aufgrund einer defizitären rechtlichen Grundlage, einer ungesicherten finanziellen Basis oder willkürlicher Eingriffe externer Akteure verloren gegangen ist. Darüber hinaus kann eine ungünstige Verknüpfung von leichten Demokratiemängeln und partiellen Autonomieeinschränkungen bereits zur Ausprägung einer defekten kommunalen Selbstverwaltung führen.

---

87   Gel'man 2003a, S. 1343: »Auf der politischen Ebene beschränkte sich die lokale Selbstverwaltung häufig auf Kommunalwahlen, die in manchen großen Städten [...] entweder gar nicht durchgeführt wurden oder in einigen Fällen offen undemokratischen Charakter hatten.«

Die kompetitiv-autoritäre Kommunalverwaltung

Die kompetitiv-autoritäre Kommunalverwaltung ist durch folgende Charakteristika gekennzeichnet: Die Gewaltenteilung zwischen den Organen der kommunalen Verwaltung ist außer Kraft gesetzt und die politische Macht ist in der kommunalen Exekutive monopolisiert. Durch die Einflussnahme auf das Mediensystem wird die lokale Öffentlichkeit von der kommunalen Exekutive manipuliert und es kommt zu einer gezielten Beeinflussung des Prozesses der gesellschaftlichen Selbstorganisation. Die Legitimation der Macht erfolgt nicht an erster Stelle durch das Prinzip der Souveränität der lokalen Bevölkerung als Träger aller Selbstverwaltungsrechte, sondern durch paternalistisch-charismatische oder auch plebiszitär-autoritäre Führerpersönlichkeiten. Trotz der Machtkonzentration besteht für die kommunale Exekutive jedoch keine Möglichkeit, die Regeln der Stadtsatzung – wie z.b. das kommunale Wahlregime, die formelle Beteiligung des Stadtrates an der Entscheidungsfindung und das Recht der Bevölkerung auf direkte Mitbestimmung – willkürlich aufzuheben.[88]

Es sind prinzipiell zwei Typen kompetitiv-autoritärer Kommunalverwaltungen vorstellbar: Die abhängige kompetitiv-autoritäre Kommunalverwaltung, die aufgrund eliminierter rechtlicher, wirtschaftlicher und politischer Autonomie die unterste Ebene der Staatsverwaltung darstellt und die unabhängige kompetitiv-autoritäre Kommunalverwaltung, in welcher der Bürgermeister oder eine kleine kommunale Machtelite zwar einen maßgeblichen Grad an Unabhängigkeit gegenüber den Ebenen der Staatsgewalt behaupten kann, die politische Macht *innerhalb* der Kommune jedoch im eigenen Interesse monopolisiert hat und unkontrolliert ausübt.

1.5 Die Operationalisierung der Theorie

Die in den vorangegangenen Abschnitten aufgestellten Typen erlauben es, das kommunale politische System in Kaliningrad zu untersuchen und eine Aussage darüber zu treffen, ob man von einer autoritären oder demokratischen Stadtverwaltung sprechen kann. Die hierfür notwendigen Prüfkriterien

---

88   Dafür gibt es externe und interne Gründe. Die Praxis, nicht offen gegen die Verfassung zu verstoßen, hat sich auf der föderalen Ebene als ein Element der Systemstabilisierung erwiesen.

sind bereits umfangreich dargestellt worden. Hervorzuheben ist außerdem, dass die Abgrenzung zwischen einem demokratischen und einem kompetitiv-autoritären Verwaltungssystem durch die Frage entschieden wird, ob die Durchführung von Wahlen der Bevölkerung *tatsächlich* die Möglichkeit gibt, ihre Interessen zu artikulieren und die Macht zu kontrollieren. Wenn der politische Prozess durch einflussreiche Akteure bzw. Akteurskonstellationen *extralegal* manipuliert wird, so dass eine autonome gesellschaftliche Willensbildung nicht mehr möglich ist, liegt ein kompetitiv-autoritäres Regime vor.

Um sich dem Charakter des kommunalen politischen Systems in Kaliningrad anzunähern, werden die maßgeblichen Akteure vorgestellt. Bei der Auswahl orientiere ich mich an der *Stadtsatzung* vom 1. Oktober 1996 (»Ustav goroda Kaliningrad«).[89] Zu den formalen Institutionen der kommunalen Selbstverwaltung in Kaliningrad zählen demnach der *Bürgermeister*, der die Funktion des Stadtoberhaupts ausfüllt, der *Stadtrat*, der aus 19 Abgeordneten besteht und das *Bürgermeisteramt*, das die Verwaltung im engeren Sinne darstellt. Die Aufgabenfelder der Institutionen werden durch die Stadtsatzung festgelegt.

Neben den formalen Institutionen und Akteuren der kommunalen Selbstverwaltung sollen weitere Elemente des kommunalen politischen Systems betrachtet werden. Es wird vorgeschlagen, die *kommunale Öffentlichkeit* und den *Differenzierungs- und Organisationsgrad der Gesellschaft* näher zu untersuchen.

Die Dimension der *kommunalen Autonomie* wird vor allem durch externe Akteure bestimmt. An erster Stelle ist hier die *Föderation* zu nennen, welche die »Spielregeln« der kommunalen Selbstverwaltung festlegt. In Kapitel 2 wird die Politik der Föderation gegenüber den russischen Kommunen aus historischer Perspektive vorgestellt. Anhand der Ausführungen soll gezeigt werden, wie sich die rechtlichen, politischen und wirtschaftlichen Grundlagen kommunaler Autonomie unter der Präsidentschaft El'cins und später unter dem Einfluss Putins entwickelt haben.

---

89   Ustav goroda Kaliningrad (Stadtsatzung in der Fassung vom 1. Oktober 1996), in: Gorodskoj sovet deputatov; Mèria goroda Kaliningrada (Hg.): Sbornik normativnych dokumentov, Kaliningrad 1998, S. 3-67.

Die Entwicklung der *kommunalen Demokratie* soll in der Verlaufsperspektive dargestellt werden. Dabei wird die bereits vorgestellte Phaseneinteilung des Transformationsprozesses auf die Entwicklung der Kaliningrader kommunalen Selbstverwaltung übertragen. Als *Institutionalisierungsphase* soll der Zeitraum bezeichnet werden, in dem die rechtlichen Grundlagen für die Selbstverwaltung gelegt wurden und die Beratung und Verabschiedung der ›Kommunalverfassung‹ (Stadtsatzung) stattgefunden hat (1990-1998). Der Verlauf dieser Phase wird in Kapitel 3 beschrieben. Im Mittelpunkt der Analyse steht die Frage, ob der Satzungsgebungsprozess zu einer langfristigen Integration der politischen Akteure in der Kommune beigetragen hat. Außerdem ist die Qualität der verabschiedeten Satzung von Interesse.

Die *Konsolidierungsphase* (1998-2003) ist eine Bewährungsphase, in der sich zeigt, ob die maßgeblichen Akteure die neuen Normen internalisieren und ob das neue Verwaltungsmodell Effektivität entfaltet und Legitimität erlangen kann.[90] Entscheidend ist hierbei, ob sich Subsysteme wie z.B. eine städtische Zivilgesellschaft und eine unabhängige Presse entwickeln konnten, welche die kommunale Demokratie stützen und schützen. Im Verlaufe der Konsolidierungsphase entscheidet sich, ob sich das neue Institutionssystem stabilisiert oder ob sich Funktionsdefekte einstellen, die zu einem Rückfall in eine autoritäre Praxis kommunaler (Selbst-)Verwaltung führen können.

Um das *Verhältnis zwischen kommunaler Verwaltung und Gesellschaft* charakterisieren zu können, ist zu prüfen, ob es sich eher anhand der Logik moderner Rechtsstaatlichkeit entwickelt oder ob es durch die in Russland »tief verwurzelte Gewohnheit, Bevölkerung durch hierarchische Verwaltungsapparate zu regieren«[91] geprägt ist.

Die Konsolidierungsphase steht in Kapitel 4 und 5 im Mittelpunkt. Wird in Kapitel 4 die Akteurskonstellation in der Kommune vorgestellt und in diesem Zusammenhang die Frage der *kommunalen Demokratie* behandelt, so wird in

---

90   Zur Konsolidierungstheorie im Rahmen der klassischen Transformationstheorie siehe Merkel 1999, S. 143-170, konkret zu den Staaten Weißrussland, Ungarn, Russland und Polen im Vergleich S. 485-523. Bei der Betrachtung der Verlaufsdimension lassen sich außerdem Erkenntnisse nutzbar machen, die im Rahmen der Konsolidierungstheorie demokratischer Systeme entwickelt worden sind.
91   Siehe Kirkow 1997, S. 44.

Kapitel 5 das Außenverhältnis zur Gebietsadministration und zur Föderation thematisiert und damit der Bereich der *kommunalen Autonomie* berührt.

Anhand der Person des derzeitigen Kaliningrader Bürgermeisters Jurij Savenko und anhand der politischen Einstellung ausgewählter Stadträte soll in Kapitel 4 auch der Bezug zur Ebene der *Handlungsorientierung politischer Akteure* hergestellt werden. Hieran lässt sich zeigen, ob die Idee einer demokratischen Selbstverwaltung bereits handlungsleitend wirkt, oder ob nach wie vor die »Verwaltungsidee« dominiert. Die Einstellungen und Handlungsmuster, die mit einem autoritären Verwaltungsmodell korrespondieren, sind bekannt: Die Idee bürokratischer Steuerung der Gesellschaft korrespondiert einerseits mit einem *paternalistischen Führungsanspruch* und zeichnet sich andererseits durch einen *dezisionistischen Entscheidungsstil* aus. Die tief verwurzelte Einstellung, dass »Macht [...] etwas [ist, T.B.], was monopolisiert werden muss« [92] führt dazu, dass politische Konflikte im Sinne einer Nullsummenlogik ausgetragen werden.

Bei der Darstellung der Charakteristika des kommunalen Verwaltungssystems in Kaliningrad kommt es darauf an, den Blick nicht nur auf die formale Existenz von Institutionen zu richten. Die Notwendigkeit hinter die Kulissen zu schauen, leitet sich vor allem daraus ab, dass die politischen Systeme der postkommunistischen Staaten nachweislich in einem hohen Maß durch *informelle Strukturen* geprägt sind.[93] Aus der politikwissenschaftlichen Regionalforschung ist bekannt, dass die politische Stabilität in den Regionen der RF nicht durch regionale Verfassungsordnungen, sondern in erster Linie durch die *Personalisierung und Monopolisierung der Macht* durch die Gouverneure gewährleistet wird.[94] Eine ähnliche Strategie ist auch in den Kommunen zu beobachten. Dort versuchen die Bürgermeister eine stabile Ordnung herzustellen, indem sie sich als »kleine Zaren« profilieren. Derartige Formen des

---

92   Kirkow, S. 44. Zum Politikstil in Russland siehe auch Knobloch 2002, S. 93f.

93   Zum Problem der Informalität siehe Merkel, Wolfgang; Croissant, Aurel: Formale und informale Institutionen in defekten Demokratien, in: Politische Vierteljahresschrift, Jg. 41, 1/2000, S. 3-30; siehe auch Knobloch 2002, S. 47.

94   Trifinov, R.F.: Dinamika regional'nogo političeskogo processa v Rossii, in: Političeskaja Nauka, 29.12.2003; Tsygankov, Andrei: Manifestations of delegative democracy in Russian local politics: what does it mean for the future of Russia?, in: Communist and Post-Communist Studies, Vol. 31, 4/1998, S. 329-344.

Machtmissbrauchs entstehen, wenn sich die kommunalen Akteure – allen voran die Bürgermeister – nicht an die Regeln der Stadtsatzung halten. Einfallstor dafür ist die *Missachtung des Prinzips der Gewaltenteilung.* Die Stadtoberhäupter dehnen dabei nicht nur den Zuständigkeitsbereich der Exekutive aus, sondern verlagern auch legislative Kompetenzen in den eigenen Herrschaftsbereich.

Die im Jahr 2003 begonnene und bis heute andauernde Phase kann – wie zu zeigen sein wird – als *Regressionsphase* bezeichnet werden. Die russische Staatsduma hat in dieser Zeit ein neues Kommunalverwaltungsgesetz verabschiedet, das die faktische *Wiedereingliederung der Gemeinden in den Staat* vorbereitet. In Kaptitel 6 wird beschrieben, wie mithilfe dieses Gesetzes eine *rückläufige Transformation* eingeleitet wird.

2 Kommunale Verwaltungsreformen in der Russischen Föderation

2.1 Die Vorgeschichte: Die kommunale Ebene in der Sowjetunion

Die Sowjetunion war ein Einheitsstaat, d.h. die föderalen und lokalen Ebenen waren integrierte Teile des Staatssystems.[95] Eine politische, ökonomische oder rechtliche Autonomie der lokalen Ebene war dem Prinzip des »demokratischen Zentralismus« gemäß nicht vorgesehen. Die lokalen Exekutivkomitees (Gor- und Rajispolkom), die Vorgängerinstitutionen der heutigen Bürgermeister- und Kreisämter, übernahmen den Hauptteil der lokalen Verwaltungsarbeit. Sie erfüllten die Funktion von »Transmissionsriemen zentraler Entscheidungen.«[96] Außerdem lenkten sie die örtlichen Dienstleistungseinrichtungen.[97]

Die Exekutivkomitees waren in ein rigides Kontrollregime eingefasst: Nach dem Prinzip der »doppelten Unterstellung« waren sie zum einen den lokalen Sowjets (kommunale Vertretungsorgane) gegenüber verantwortlich und zum anderen den übergeordneten Gebietsexekutivkomitee unterstellt und damit vollständig in die gesamtstaatliche Hierarchie eingegliedert. Die Verantwortlichkeit gegenüber den lokalen Sowjets hatte nur formalen Charakter, da die Sowjets in der politischen Realität als Mobilisierungsorgane der Partei instrumentalisiert wurden und keine eigenständigen Entscheidungen trafen.[98] Die politische Kontrolle der Exekutivkomitees erfolgte durch die Parteikomitees, die den staatlichen Organen auch auf der kommunalen Ebene zugeordnet waren. Dabei bestand eine enge personelle und sachbezogene Verflechtung zwischen Partei- und Staatseinrichtungen.

---

95   Zu den Gemeinden in der Sowjetunion siehe Mildner 1996, S. 58-75; auch Kralinski 1999, S. 57-63.
96   Kralinski 1999, S. 58.
97   Ebenda.
98   Zu der Mobilisierungsfunktion lokaler Institutionen siehe Lankina 2001, S. 399-402.

Die sowjetische Staatslehre konnte aufgrund dieser Praxis nicht mit westlichen Auffassungen kommunaler Selbstverwaltung vertraut sein.[99] »Lokale Verwaltung galt als Hebel zur Durchsetzung zentralstaatlicher Interessen: Das stets als einheitlich vorausgesetzte ›örtliche‹ Interesse wurde mit dem von der KPdSU verbindlich vorgegebenen Gesamtinteresse von vornherein identisch gesetzt.«[100] In der sowjetischen Kommunalverwaltungstheorie dominierte demzufolge die »Verwaltungsidee«.[101]

2.2 Die ›munizipale Revolution‹

Die Geburt einer politisch selbstständigen lokalen Ebene war eng mit der Strategie Gorbatschows verknüpft, die Sowjets auf allen Ebenen des Staates gegenüber den staatlichen Exekutivkomitees und den Parteiinstitutionen aufzuwerten. Die ersten kompetitiven Wahlen im Jahre 1990 setzten den vorläufigen Höhepunkt dieses Politisierungsprozesses, der auch die kommunalen Parlamente erfasste. Erstmals gelangten unabhängige Kandidaten in die lokalen Vertretungsorgane. Gleichzeitig nutzten viele Vertreter aus dem unteren Parteiapparat die Chance, einen Fuß in die aufstrebenden neuen Machtzentren zu setzen.

Im Bereich des Rechts wurde der revolutionäre Bruch mit der sowjetischen Staatstradition mit dem Unionsgesetz »Über die Prinzipien der lokalen Selbstverwaltung und der lokalen Wirtschaft« vom 5. März 1990 eingeleitet. In diesem Gesetz wurde erstmals das Strukturprinzip der Selbstverwaltung in der noch bestehenden UdSSR festgehalten. Das Gesetz war jedoch nach internationalen Standards noch mit entscheidenden Mängeln behaftet. Insbesondere der Doppelstatus der lokalen Sowjets, die zum einen die Staatsmacht repräsentieren und gleichzeitig Funktionen gesellschaftlicher Selbstverwaltung ausüben sollten, war unzulänglich. Die rechtliche Festlegung, dass die Exe-

---

99   Kropp, Sabine: Demokratisierung durch autoritäre Lenkung? Lokale Selbstverwaltung als Gegenstand staatstheoretischer Diskussion und institutioneller Formen in Russland, in: Der Staat: Zeitschrift für Staatslehre, öffentliches Recht und Verfassungsgeschichte Bd. 36, 1997, S. 61.
100   Ebenda, S. 61.
101   Ebenda, S. 59.

kutivkomitees nicht aus der staatlichen Vertikale entlassen werden sollten, war eine eindeutige Durchbrechung des Selbstverwaltungsprinzips.[102]

Am 6. Juli 1991 wurde das Gesetz »Über die allgemeinen Grundsätze der Organisation der lokalen Selbstverwaltung der RSFSR« vom Volksdeputierten-kongress beschlossen. Es stellte die eigentliche Grundlage für die Entwicklung der kommunalen Selbstverwaltung in der Russischen Föderation dar. Das Gesetz war mit seinem Ziel, allgemeine Prinzipien der Selbstverwaltung einzuführen, konsequenter als sein Vorläufer und wurde von westlichen Experten begrüßt, die in ihm »ein bemerkenswert fortschrittliches Kommunal-modell [sahen, das, T.B.] einen wichtigen Schritt zur Etablierung der kommunalen Selbstverwaltung als Kernelement des Verfassungsstaates« markierte.[103] In der Praxis stellte sich die Implementierung des Gesetzes allerdings als schwierig dar. Die den Kommunen zugewiesenen Befugnisse waren nicht durch die laufende Gesetzgebung gedeckt – nicht zuletzt deshalb, weil zu diesem Zeitpunkt noch keine systematische Kompetenzabgrenzung zwischen den verschiedenen Ebenen der staatlichen Verwaltung erfolgt war. In den Kommunen wurden daher vor allem die organisatorischen Regelungen des Gesetzes übernommen, welche die Bildung und die Tätigkeit der kommunalen Organe betrafen.[104]

Trotz dieser Implementierungsprobleme gingen die rechtlichen Neuerungen in die Verfassung der RSFSR ein: In einer ersten Runde fügte der Deputier-tenkongress am 24. Mai 1991 eine Ergänzung »Über die örtliche Selbstver-waltung in der RSFSR« in den Abschnitt zur lokalen Verwaltung ein. Mit einer weiteren Verfassungsänderung am 12. April 1992 wurden die Organe der Selbstverwaltung erstmals aus dem Kreis der Organe des Staatsapparates herausgenommen – ein wichtiger Schritt in der Institutionalisierungsphase der kommunalen Selbstverwaltung. Dem »System der Vertretungsorgane der

---

102 Die ursprüngliche Fassung des Gesetzes sah die Selbstständigkeit der Exekutiv-komitees vor. Eine Gesetzesänderung bestätigte aber die Eingliederung in die staatliche Vertikale; siehe Kralinski 1999, S. 64.

103 Wollmann 2002, S. 4; zu einer kritischen Bewertung siehe Mildner 1996, S. 97-102.

104 Siehe Bjalkina, Tatiana M.: Die örtliche Selbstverwaltung in der Russischen Föde-ration: Lage, Probleme, Perspektiven, in: Osteuropa-Recht. Jg. 47, 1-2/2001, S. 16.

Staatsgewalt in der Russischen Föderation« trat nun das »System der örtlichen Selbstverwaltung« gegenüber. Außerdem wurden die »Rayon-, Stadt-,
Stadtbezirks-, Siedlungs- und Dorfsowjets« nun eindeutig und ausschließlich
der Selbstverwaltung zugerechnet.[105]

Während des Putschversuches im August 1991 standen die städtischen Sowjets mehrheitlich auf der Seite der Demokraten. Diese progressive Ausrichtung der Lokalparlamente zeigte sich auch anderthalb Jahre später während
des Verfassungskonflikts zwischen Boris El'cin und dem konservativen Volksdeputiertenkongress. Die lokalen Räte ergriffen in dessen Verlauf oft für die
Seite des Präsidenten Partei.[106] Trotz dieser Loyalitätsbekundungen hat Boris
El'cin die lokalen Sowjets in der Zeit nach dem Augustputsch 1991 jedoch
fast vollständig entmachtet – eine Entwicklung, die mit ihrer vollständigen
Auflösung im Herbst 1993 ihren Abschluss gefunden hat.

Das fortschrittliche Gesetz »Über die allgemeinen Grundsätze der Organisation der lokalen Selbstverwaltung der RSFSR« wurde von Boris El'cin jedoch
nicht implementiert. Bereits Anfang 1992 wurde der Zuständigkeitsbereich
der lokalen Sowjets weiter eingeschränkt und die Macht der lokalen Exekutive restauriert. Die kommunalen Verwaltungen wurden von ernannten Verwal-
tungschefs geführt, die von den »Vertretern des Präsidenten« in den Regionen bzw. Republiken abhängig waren. Die Macht ging von den Sowjets auf
die lokalen Exekutiven über, die sich in eine neue Machtvertikale einfügten
und die lokalen Budgets und Steuern festlegten.[107] Die neu entstandene jun-
ge und demokratisch orientierte kommunale Gegenelite wurde in diesem Prozess marginalisiert, da ihre potenziellen Unterstützer aus der Verwaltung einen Schwenk zur »administrativen Verantwortlichkeit« vollzogen.[108] Gesell-

---

105   Ebenda, S. 17.
106   Lankina 2001, S. 400.
107   Ebenda, S. 401.
108   Lankina 2001, S. 403. Zur Entwicklung am Beispiel Moskaus und St. Petersburgs
       siehe Mildner 1996, S. 96: »Der nationale Machtkampf [wurde, T.B.] auch auf der
       Ebene der beiden wichtigsten Städte des Landes ausgetragen. Hauptmerkmal
       dieses Machtkampfes war, wie bereits beschrieben, die von der russischen Regie-
       rung unterstützte Eroberung der Verwaltung bei gleichzeitiger Entmachtung der
       demokratisch gewählten Stadtsowjets. Parallel zur Entsowjetisierung formierten
       sich die alten Funktionsträger aus Partei und Verwaltung neu, nachdem sie sich

schaftliche Aktivitäten wurden zunehmend unterdrückt und der Spielraum unabhängiger Vereine durch eine restriktive Registrierungspraxis der lokalen Behörden und durch die Politik des »*civic corporatism*« eingeengt.[109]

Diese erste »Konterreform« im Verlauf der russischen Kommunalreform war eine direkte Folge der politischen Strategie des Präsidenten. El'cin hatte vor allem die administrative Funktionsfähigkeit der lokalen Organe im Blick. Auf dem Wege der Zentralisierung wollte er Steuerungskapazitäten sichern, um die anstehenden ökonomischen und institutionellen Reformen umsetzen zu können. Die kommunalen Vertretungsorgane blieben nur bis zum Herbst 1993 bestehen. Nach dem Staatsstreich El'cins und der gewaltsamen Erstürmung des Parlamentsgebäudes in Moskau wurden sie durch einen Erlass des Präsidenten aufgelöst.[110]

2.3 Die Verfassung der Russischen Föderation vom 12. Dezember 1993

Angesichts dieser Entwicklung ist es erstaunlich, dass die neue russische Verfassung, die nach einem Volksreferendum im Dezember 1993 in Kraft trat, solide rechtliche Garantien für die Entfaltung selbstverwalteter Städte und Kommunen legte. In Art. 3 der Verfassung der RF von 1993 wird das Recht der Bevölkerung auf kommunale Selbstverwaltung garantiert. Dieses Recht zählt zu den Grundlagen der Verfassungsordnung der Russischen Föderation. Nach Art. 12 gehören die Organe der kommunalen Selbstverwaltung nicht zum Staatsapparat: »In der Russländischen Föderation wird die lokale Selbstverwaltung anerkannt und garantiert. Die lokale Selbstverwaltung ist im Rahmen ihrer Vollmachten selbstständig. Die Organe der örtlichen Selbstverwaltung gehören nicht zum System der Organe der Staatsgewalt.«[111]

---

vom Schock des fehlgeschlagenen Augustputsches erholt hatten und entmachteten nur ihrerseits reformorientierte Politik- und Verwaltungsneulinge.«

109   Siehe Lankina 2001, S. 403. Civic corporatism bezeichnet hier eine Strategie der russischen Verwaltungen, Vereine und bürgerliche Zusammenschlüsse durch Druck, Vereinnahmung und selektive Unterstützung zu steuern.

110   Zu Staatsgründung, Staatsstreich und Verfassungsgebungsprozess in der RF siehe Merkel 1999, S. 480-484.

111   Übersetzung nach Gel'man 2003a, S. 1343.

In einem eigenständigen Artikel zur Kommunalverwaltung sind die Selbstverwaltungsrechte der Bevölkerung und die Generalzuständigkeit der Kommunen näher definiert: Die Bevölkerung kann selbstständig »über die Fragen
örtlicher Bedeutung« entscheiden (Art. 130 Abs. 2).[112] Die örtliche Bevölkerung kann diese Rechte sowohl »durch Referenden, Wahlen und andere
Formen der direkten Mitwirkung, als auch [mittelbar, T.B.] durch gewählte und
andere Organe der kommunalen Selbstverwaltung« ausüben (Art. 130
Abs. 2). Insgesamt fällt die Vollständigkeit der gewährten Selbstverwaltungsrechte und institutionellen Vorgaben für das Funktionieren kommunaler Demokratie auf, die in einem eigenwilligen Kontrast zu einer Verfassung stehen,
die ansonsten nach den persönlichen Machtinteressen des Präsidenten gestaltet worden ist.[113]

Hervorzuheben ist auch, dass die verfassungsrechtlichen Garantien in ekla-
tantem Widerspruch zur politischen Praxis der kommunalen Ebene standen.
Die Logik der Stadt- und Landkreispolitik war seit der Auflösung der lokalen
Räte Ende 1993 bis zur Implementierung des neuen föderalen Selbstverwaltungsgesetzes im Jahre 1996 vollständig durch die regionale und lokale Exekutive dominiert gewesen.[114]

2.4 Das Bundesgesetz »Über die allgemeinen Organisationsprinzipien« vom 28. August 1995

Die Praxis der kommunalen Verwaltung wurde zwischen 1993 und 1996
durch Verordnungen der Gouverneure und Republikpräsidenten bestimmt.
Zwar gab es seit 1994 in den meisten Föderationssubjekten gewählte lokale
Vertretungsorgane, sie waren jedoch mit so wenig Macht ausgestattet, dass

---

112   Für eine deutsche Fassung der Verfassung der RF siehe Schneider, Eberhard:
       Das politische System der Russischen Föderation: Eine Einführung, Opladen
       1999.
113   Hinweis nach Wollmann; Butusova 2003, S. 12, zur Bewertung des russischen
       Verfassungssystems siehe zusammenfassend Merkel 1999, S. 455-462.
114   Einschätzung aus der lokalen Praxis zitiert nach Wollmann; Butusova 2003, S. 13.
       »In essence we have returned to the times of the all-mighty executive committee
       (ispolkom) which ursurped the powers of the council.«

sie vollständig von den kommunalen Exekutiven abhängig waren.[115] Erst 1995 trat nach einem langen, konfliktreichen Gesetzgebungsprozess das neue Bundesgesetz »Über die allgemeinen Organisationsprinzipien der örtlichen Selbstverwaltung in der Russischen Föderation« in Kraft. Das Zustandekommen des Gesetzes ist dabei vor allem auf das politische Kalkül El'cins zurückzuführen, der die Kommunen als institutionelle Gegengewichte zu den immer mächtiger werdenden Regionen aufbauen wollte.[116]

Nichtsdestotrotz lieferte das Gesetz eine fundierte rechtliche Basis für die Etablierung selbstständiger Kommunen, und seine Verabschiedung initiierte ein bemerkenswertes Aufleben der kommunalen Politik in der Russischen Föderation. Erstmalig wurden in einer großen Zahl russischer Kommunen eigenständige Kommunalverfassungen (Stadt- und Kreissatzungen) verabschiedet und die Kommunalparlamente *und* Bürgermeister bzw. Kreisräte direkt durch die Bevölkerung gewählt.

Das Gesetz wurde von einigen Beobachtern vor allem aufgrund der darin enthaltenen umfassenden rechtlichen, organisatorischen und finanziellen Garantien als ein Regelwerk gelobt, das der kommunalen Ebene in der Russischen Föderation einen klar definierten, gesicherten und unabhängigen Status verlieh.[117] Für die positive Beurteilung waren vor allem zwei Elemente maßgeblich: a) Die Ermächtigung der kommunalen Vertretungsorgane, weitgehend eigenständig über die Ausgestaltung der kommunalen Verfassungen zu bestimmen und b) die im Gesetz enthaltenen umfangreichen Garantien gegen willkürliche staatliche Eingriffe.

In Art. 2 des Bundesgesetzes wird kommunale Selbstverwaltung als »das Recht der Bevölkerung [definiert, T.B.], selbstständig und eigenständig, unmittelbar oder durch die Organe der lokalen Selbstverwaltung Angelegenhei-

---

115 Wollmann; Butusova 2003, S. 12.
116 Lankina 2001, S. 401: »[...] the Yeltsin administration had come to regard local government as a political check against regional regimes, as a political machine to mobilize opposition to them [...]«.
117 Wollmann; Butusova 2003, S 17.

ten von örtlicher Bedeutung den Interessen der Bevölkerung und ihren lokalen, historischen oder anderweitigen Traditionen gemäß zu entscheiden«.[118]

Kommunale Körperschaften (municipal'nyj obraz) können auf der Ebene von
Kreisen (rajons), Städten, Siedlungen und Dörfern unabhängig von ihrer Ein-
wohnerzahl gebildet werden. Als Bezugspunkt gelten ausdrücklich nicht die
bestehenden administrativen Bezirke, sondern »jedes bevölkerte Territorium«. Das Gesetz verleiht dabei den verschiedenen Kommunaltypen einen
gleichwertigen rechtlichen und administrativen Status.

Das Recht der Gemeinden auf kommunales Eigentum, auf eigenständige
Budgets und auf gewählte Kommunalorgane ist explizit garantiert. Neben
Prinzipien, die das Recht auf Selbstverwaltung präzisieren (aktives und pas-
sives Wahlrecht, Zugang zum öffentlichen Dienst etc.), steckt das Gesetz den
rechtlichen Rahmen der kommunalen Selbstverwaltung ab. Bemerkenswert
ist die Stärkung, die dabei die lokalen Vertretungsorgane erfahren. Das ihnen
zugebilligte Recht, die kommunalen Hauptsatzungen zu verabschieden, ist
die Grundlage der kommunalen Satzungsautonomie. In die Entscheidungs-
hoheit der Kommunalparlamente fällt außerdem der Beschluss über die Zahl
der Abgeordneten des kommunalen Vertretungsorgans (Art. 15 Abs. 2), über
die Art der Wahl des Bürgermeisters – entweder direkt durch die Bevölkerung
oder indirekt durch die Kommunalversammlung (Art. 18 Abs. 2) – und über
die Stellung des Bürgermeisters – entweder als Mitglied oder als »Bestellter«
des Vertretungsorgans (Art. 16 Abs. 3).

Ein einzelnes Gesetz ist naturgemäß jedoch nicht ausreichend, um die Zahl
der Detailprobleme, welche die kommunale Verwaltung betreffen, rechtlich zu
regeln. Vielmehr ist ein ganzes System neuer gesetzlicher Regeln nötig. Bjalkina zeigt, dass die föderale Gesetzgebung bis Ende der 90er Jahre nur Fragen der Organisation der Selbstverwaltung umfassend geregelt hat.[119] Andere Rechtsbereiche zeichneten sich vor allem durch unvollständige Verfah-
rensregelungen aus. So war beispielsweise das Verfahren der gerichtlichen
Einklage von Selbstverwaltungsrechten und die politische Verantwortlichkeit

---

118   Bundesgesetz »Über die allgemeinen Organisationsprinzipien der örtlichen Selbst-
       verwaltung in der Russischen Föderation« vom 28. August 1995.
119   Bjalkina 2001, S. 21f.

der lokalen Behörden gegenüber der Bevölkerung nicht geklärt. Vor allem der Mangel an präzisen rechtlichen Regelungen bezüglich der finanziell-ökonomischen Rechte der Kommunen stellte ein Einfallstor für die Aushöhlung kommunaler Autonomie dar. Das Verfahren bezüglich der finanziellen Kompensation übertragener Staatsaufgaben blieb – genau wie das Verfahren hinsichtlich der Nutzung natürlicher Ressourcen und des Bodens auf dem Territorium der Kommunen – ungeregelt.[120] Bjalkina spricht deshalb skeptisch von der »Unvollkommenheit und inneren Widersprüchlichkeit der geltenden Bundesgesetzgebung«, die gemeinsam mit der zentralistischen Finanzpolitik und der Übertragung finanziell nicht abgesicherter Aufgaben an die Kommune dazu führte, dass die Selbstständigkeit der Kommunen trotz der verfassungs- und bundesrechtlichen Garantien in der Russischen Föderation nur eine Fiktion blieb.[121]

2.5 Die Implementierung der Kommunalgesetzgebung auf der regionalen Ebene

Die Föderationssubjekte (Regionen, autonome Gebiete und Republiken) hatten einen beträchtlichen Einfluss auf die rechtliche Normierung der kommunalen Selbstverwaltung, da sie nach Art. 72 der Verfassung mit der Föderation die gesetzgeberische Zuständigkeit für diesen Bereich innehatten. Außerdem waren die Gouverneure und Republikpräsidenten in den 90er Jahren im Rahmen des »asymmetrischen Föderalismus« zu mächtigen Akteuren aufgestiegen, die in ihrem jeweiligen territorialen Zuständigkeitsbereich die Entfaltung autonomer Kommunen behinderten oder in einigen Fällen sogar eigenmächtig Kommunalordnungen erließen, die gegen die Verfassung verstießen.[122] Da die administrative Machtvertikale in den Regionen der wichtigste Stabilisierungsfaktor war, taten die Gouverneure alles, um die Etablierung

---

120   Ebenda, S. 21.
121   Ebenda, S. 23.
122   Siehe Heinemann-Gründer, Andreas: Der heterogene Staat. Föderalismus und
       nationale Vielfalt in Russland, Berlin 2000.

einer institutionalisierten Opposition auf der unteren Verwaltungsebene zu verhindern.[123]

Die »Regionalisierung«[124] der Kommunalreform führte aufgrund dieser Konstellation a) zur Ausprägung einer Vielfalt unterschiedlicher Kommunalverwaltungsmodelle und b) zu einer faktischen »Etatisierung« der überwiegenden Zahl von Kommunen.[125] In den ethnischen Republiken der RF besaßen die großen Städte und Landkreise auch nach der Implementierung des föderalen Selbstverwaltungsgesetzes von 1995 keinen Selbstverwaltungsstatus, sondern ihre Verwaltungen waren direkt der Gebietsadministration eingegliedert.[126] Nur kleinere Städte und Dörfer waren formal unabhängig, doch konnte aufgrund ihrer schmalen wirtschaftlichen Basis auch hier nicht von kommunaler Autonomie die Rede sein.[127] Selbst in Regionen, in denen ein vollwertiges regionales Selbstverwaltungsmodell eingeführt wurde, ernannten mitunter die Gouverneure die Chefs der ländlichen und städtischen Verwaltungen (Kreisräte und Bürgermeister) oder entließen per Verordnung missliebige Bürgermeister.[128] Im Nordwesten der Russischen Föderation, einem Gebiet, das sich durch eine progressive regionale Kommunalgesetzgebung auszeichnet, hatten die Gebietsdumen rechtliche Detailfragen, die für die Realisierung der Selbstverwaltungsrechte notwendig waren, nicht geregelt. Die Macht über die Haushalts- und Finanzpolitik konzentrierte sich bei den Gouverneuren und die gravierende Schwäche der lokalen Wirtschaft – vor allem in den Kleinstädten und ländlichen Gegenden – führte die Kommunen auch hier schrittwise in die Abhängigkeit. Damit war Ende der 90er Jahre die überwiegende Zahl der Städte, Kleinstädte und ländlichen Kreise in der RF ökonomisch vollständig von den Gebiets- oder Republikadministrationen abhängig. Eigenständig verwaltete Kommunalhaushalte blieben ein Desiderat.[129]

---

123   Siehe Trifinov, R.F.: Dinamika regional'nogo političeskogo processa v Rossii, in: Političeskaja Nauka, 29.12.2003, S. 1-13.
124   Gel'man 2003a.
125   Wollmann 2002, S. 9-11, siehe auch Trifonov 2003.
126   Wollmann 2002, S. 10.
127   Wollmann und Butusova 2003, S. 19, nennen neben den ethnischen Republiken auch die Regionen Novosibirsk und Kursk.
128   Ebenda.
129   Gel'man 2003a, S. 1350.

Insgesamt ist in den Regionen ein Etatisierungsprozess erfolgt, in dessen Verlauf sich die kommunalen Administrationen (Bürgermeister- und Kreisämter) den regionalen Verwaltungsstrukturen unterordnen mussten und die Kommunalparlamente marginalisiert wurden.[130] Ausnahmen sind nur bei einer geringen Zahl von großen russischen Städten, insbesondere den Gebietshauptstädten anzutreffen, in denen die Kommunalpolitiker die politische Autonomie gegen den Willen der Gouverneure entfalten konnten.[131] Der neuen kommunalen Verwaltungselite, die sich hier seit 1996 verstärkt durchsetzte, gelang es, die rechtlich garantierte Selbstständigkeit zu verteidigen, da sie die beträchtlichen Ressourcen der Städte kontrollierte, Rückhalt in einem Teil der Gebietselite fand und die Bevölkerung gezielt mobilisieren konnte. Auseinandersetzungen zwischen einzelnen mächtigen Bürgermeistern und den Gebietsadministrationen sind in diesen Kommunen seit Mitte der 90er Jahre fester Bestandteil der Kommunalpolitik.[132] Sie sind Ausdruck eines hartnäckigen Kampfs der Kommunen um politische und wirtschaftliche Autonomie.

2.6 Der Stand der russischen Kommunalreform zum Ende der Präsidentschaft El'cins

Die Entwicklung der Kommunen am Ende der El'cinschen Präsidentschaft ist durch eine zunehmende Zentralisierung der Finanz- und Budgethoheit geprägt.[133] Obwohl der föderale und regionale Anteil der Steuereinnahmen kontinuierlich gestiegen war, gerieten die Kommunen unter einen immer stärker werdenden finanziellen Druck. Dabei erwies sich als Hauptproblem, dass die Kommunen nicht über wirksame Finanzgarantien verfügten. Gleichzeitig wurden der kommunalen Ebene immer mehr Aufgaben, vor allem auf dem Gebiet der Sozialpolitik übertragen, ohne dass die entsprechende Finanzierung gesichert wurde. Die Folge davon war, dass die nötigen Aufgaben auf der kommunalen Ebene oftmals nicht einmal ansatzweise erfüllt werden konnten. In den Regionen gingen nie mehr als 15 % der regionalen Finanzen an die

---

130   Wollmann und Butusova 2003, S. 20.
131   Siehe Gel'man 2003b.
132   Trifonov 2003, S. 5ff.
133   Die Änderungen im Finanz- und Budgetrecht wurden in den Jahren 1998 und 2000 beschlossen.

Kommunen, obwohl ihr Aufgabenbestand Haushaltsmittel in der Höhe von 30 % der regionalen Budgets erforderte.[134]

Die Verarmung der Kommunen ist, neben der repressiven Politik der Gouverneure, die Hauptursache dafür, dass es Ende der 90er Jahre nicht zu einer Konsolidierung der Kommunen kam. Fast 95 % der Kommunen hatten defizitäre Budgets.[135] Nur ein geringer Teil der größeren Städte, in denen sich das wirtschaftliche Potenzial der Region konzentriert, konnte über das Ende der zweiten el'cinschen Amtszeit hinaus seine politische Autonomie wahren. Die erlangte Unabhängigkeit war jedoch nicht das Ergebnis einer zielstrebigen Kommunalreformpolitik in der Russischen Föderation, sondern ist auf den Machtwillen der lokalen Eliten zurückzuführen. Gel'man kommt deshalb zu der Einschätzung, dass man die Ebene der kommunalen Selbstverwaltung »schwerlich als autonom« bezeichnen kann.[136] In Bezug auf den Entwicklungsstand der Demokratie in den russischen Kommunen kommt er zu dem Urteil, dass sich »lokale Selbstverwaltung [...] auf Wahlen [beschränkt, T.B.], die man nicht als fair bezeichnen kann.«[137]

2.7 Die Kommunale Verwaltung unter Putin

Der Amtsantritt des neuen Präsidenten Vladimir Putin führte zu einem »Paradigmenwechsel« in der föderalen Politik, der sich jedoch erst mit Verzögerung direkt auf die kommunale Ebene auswirkte.[138] Putins Politik gegenüber der lokalen Ebene unterscheidet sich grundlegend von der el'cinschen. Bereits sein erster Schachzug zeigte, dass er die Probleme der Kommunen durch eine Rückeinbindung an den Staat zu lösen gedachte. Wenige Monate nach seinem Amtsantritt brachte Putin einen Gesetzentwurf ein, der vorsah, die

---

134   Sakwa 2002, S. 252.
135   Gel'man 2003a, S. 1344.
136   Gel'man 2003b, S. 48.
137   Gel'man 2003a, S. 1343.
138   Sichtbarer Ausdruck ist die durch Putin initiierte Änderung des Kommunalverwaltungsgesetzes vom August 2000, die vorsieht, dass der Präsident und die Gouverneure Kommunalparlamente auflösen und Bürgermeister im Falle der Verletzung föderaler bzw. regionaler Gesetze entlassen können. Siehe Gel'man 2003b, S. 49.

Bürgermeister von Städten mit mehr als 50.000 Einwohnern in Zukunft durch den jeweiligen Gouverneur ernennen zu lassen.[139] Nachdem diese Gesetzesinitiative durch die Duma aufgehalten wurde, gelang es Putin später, eine Änderung im föderalen Selbstverwaltungsgesetz durchzusetzen, wodurch die Absetzung von Bürgermeistern durch die föderalen und regionalen Exekutiven vereinfacht wurde.

Die kommunale Ebene in der Russischen Föderation steckte in der Tat seit Anfang der 2000er Jahre in einer tiefen Krise, so dass eine erneute Grundlagenreform aus Sicht von Politikern und Beobachtern aller politischen Lager notwendig erschien. Diese Reform ist mit dem im Jahr 2003 beschlossenen neuen Gesetz »Über die allgemeinen Prinzipien der lokalen Selbstverwaltung in der Russischen Föderation«[140] eingeleitet worden. Das Gesetz sollte nach einer Übergangsfrist am 1. Januar 2006 in Kraft treten. Inwiefern die putinsche Reform jedoch tatsächlich die *Autonomie* der Kommunen stärkt, ist zweifelhaft.

2.8 Das neue föderale Kommunalverwaltungsgesetz

Das neue Bundesgesetz »Über die allgemeinen Prinzipien« ist durch Beamte der Präsidialverwaltung, des Ministeriums für wirtschaftliche Entwicklung und des Finanzministeriums unter der Leitung von Dmitrij Kozak[141] entworfen worden und zielt auf eine Re-Etatisierung der Kommunen.[142] Einfluss auf die Vorbereitung des Gesetzesentwurfs nahm außerdem eine größere Gruppe von Gouverneuren und Republikpräsidenten, welche die Interessen der Föderationssubjekte vertraten. Vertreter der Kommunen bzw. der kommunalen Interessenverbände waren am Gesetzgebungsprozess nicht beteiligt und ihre in-

---

139   Wollmann und Butusova 2003, S. 22.
140   Gesetz »Über die allgemeinen Prinzipien der lokalen Selbstverwaltung in der Russischen Föderation«, für die russische Fassung http://www.akdi.ru/gd/proekt/ 091204GD.SHTM (zuletzt geöffnet am 24.2.2007).
141   Stellvertretender Leiter der Präsidialadministration.
142   Zur Bewertung des Gesetzes siehe Gel'man 2003a, S. 1347-1350; Liborakina 2004, S. 15f.; Lankina 2003.

zwischen reiche Erfahrung in der lokalen Politik fand keinen Eingang in das Gesetz.[143]

Formal werden die Selbstverwaltungsrechte der Kommunen auch im neuen Gesetz garantiert. Das Prinzip lokaler Selbstverwaltung wird als Recht mit Verfassungsrang hervorgehoben, dessen Umsetzung »auf dem ganzen Territorium der Russischen Föderation« zugesichert wird (§ 1 Abs. 1).[144] Die Organe der Selbstverwaltung werden vom System der Staatsgewalt unterschieden (§ 34 Abs. 4). Lokale Selbstverwaltung in der Russischen Föderation wird dementsprechend definiert als »eine Form der Machtausübung durch die Bevölkerung« bzw. als die »unabhängige und verantwortliche Regelung von lokalen Angelegenheiten durch die Bevölkerung direkt und/oder durch Organe der kommunalen Selbstverwaltung im Interesse der Bevölkerung« (§ 1 Abs. 2).

Das Gesetz zielt auf die lückenlose Etablierung eines zweistufigen Selbstverwaltungssystems in der gesamten Russischen Föderation.[145] Damit werden neben den Kreisen und größeren kreisfreien Städten auch alle abhängigen Städte, ländlichen Siedlungen und Dörfer (ab 1.000 Einwohner) gewählte Selbstverwaltungsorgane erhalten. Wenn das Gesetz vollständig implementiert ist, müsste somit die Zahl der russischen Kommunen von 12.000 bis auf ca. 30.000 emporschnellen.[146]

Die faktische Verstaatlichung der Kommunen, zu der das Gesetz nach seinem Inkrafttreten am 1. Januar 2006 führen wird, wird durch das Zusammenwirken verschiedener Faktoren bedingt. Zum einen ist die Verantwortlichkeit der kommunalen Administration in Finanz- und Verwaltungsfragen gegenüber dem Staat im Gesetz wesentlich ausführlicher niedergelegt als die Verantwortung gegenüber der lokalen Bevölkerung.[147] Außerdem kann die Aussetzung der Selbstverwaltungsrechte von außen nicht nur bei Verstößen gegen föde-

---

143   Von den 22 Mitgliedern der Kozakkommission waren lediglich zwei praktizierende Kommunalpolitiker. Siehe auch Liborakina 2004, S. 15.

144   Eigene Übersetzung nach http://www.akdi.ru/gd/proekt/091204GD.SHTM (zuletzt geöffnet am 24.2.2007).

145   Siehe Art. 10 Abs. 1 des Kommunalverwaltungsgesetzes.

146   Wollmann; Butusova 2003, S. 23; zur Ausweitung des Beamtenapparates auf der lokalen Ebene siehe Liborakina 2004, S. 16.

147   Siehe Krylova, Elena; Lemčik, Elena: Problemy mestnogo samoupravlenija, in: Graždanin, 15.1.2004.

rale und regionale Gesetze veranlasst werden, sondern auch bei einer un-
sachgemäßen Verwendung von Haushaltsmitteln, bei einer Verschuldung der
Kommune oder bei Verstößen, die unter solch dehnbare Kategorien wie »Gefährdung staatlicher Sicherheit« oder »Gefährdung der Verfassungsordnung«
etc. fallen.[148] Hinzu kommt, dass den Kommunen nach Abschluss der Kommunalreform immer noch keine eigenständig kontrollierbaren Finanz- und
Steuerquellen eingeräumt werden, so dass sie ihre Haushalte in erster Linie
mit Transfermitteln der staatlichen Budgets bestreiten müssen.[149]

Die Idee einer verstaatlichten lokalen Ebene bildet den ideologischen Hintergrund der neuen Kommunalreformer im Kreml.[150] Nach Gel'man besteht deren Absicht darin, »die wirtschaftliche Stärke der Organe der kommunalen
Selbstverwaltung durch die Beschränkung ihrer Autonomie zu sichern.«[151]
Das Gesetz passt somit seiner Logik nach in den gesamtstaatlichen Neuord-
nungsprozess, der als »Rekonstitution des Staates« bezeichnet wird.[152] Er
zielt nicht nur auf die Umstrukturierung der Beziehungen zwischen allen Ebenen der öffentlichen Gewalt in Bezug auf ihre Zuständigkeiten und ihre
Macht- und Finanzausstattung, sondern auch auf die Rezentralisierung der
politischen Macht – ein spezifisches Merkmal der putinschen Politik, das unter dem Schlagwort »Machtvertikale« zusammengefasst wird.

Nach Einschätzung von Beobachtern und Kommunalpolitikern werden die
Auswirkungen des neuen Kommunalgesetzes auf die verschiedenen Kommunaltypen unterschiedlich sein. Die meisten ländlichen Gebiete und die klei-
neren Städte werden von den Reformen eher profitieren, da sich ihre Lage,
die jetzt durch extreme politische und finanzielle Abhängigkeit geprägt ist, nur

---

148   Nach § 3 Abs. 3 des neuen föderalen Kommunalverwaltungsgesetzes ist die Ein-
       schränkung der Selbstverwaltungsrechte zum Schutz der Verfassungsordnung,
       der Verteidigungsbereitschaft und der Sicherheit des Staates möglich. Außerdem
       können Organe des Föderationssubjekts zeitweilig Funktionen der Selbstverwal-
       tungsorgane übernehmen, a) wenn die Verschuldung einer Kommune 30 % ihres
       jährlichen Haushaltseinkommens überschreitet und b) bei sachfremder Verwen-
       dung von Haushaltsmitteln oder bei Verletzung von Verfassungs- oder föderalem
       Gesetz bei der Ausübung delegierter Staatsaufgaben (Art. 75 Abs. 1).
149   Siehe Gel'man 2003a, S. 1349.
150   Siehe Liborakina, 2004, S. 15, wie auch Gel'man 2003a, S. 1347.
151   Gel'man 2003a, S. 1346.
152   Sakwa 2002, S. 462.

verbessern kann. In Zukunft wird ihre finanzielle Ausstattung wieder stärker durch das föderale Zentrum bestimmt werden. Die politischen Freiräume der größeren Städte werden durch die Reform jedoch empfindlich beschnitten werden, da die ausgeweiteten staatlichen Kontrollrechte über die sachgemäße Mittelverwendung – wie bereits aus der Vergangenheit bekannt – zu politischer Vereinnahmung führen.[153] Außerdem werden die wirtschaftlich prosperierenden Städte im Rahmen des neu regulierten kommunalen Finanzausgleichs ärmere Gemeinden unterstützen müssen.[154] Darüber hinaus droht eine Umverteilung kommunalen Eigentums zugunsten der Regionen.

2.9 Zusammenfassung

Die Politik des föderalen Zentrums gegenüber den Kommunen war in den 90er Jahren äußerst widersprüchlich. Auf der einen Seite erfolgte eine revolutionäre Abwendung vom Modell der lokalen Staatsverwaltung, die sich in der Verfassung der Russischen Föderation und im föderalen Kommunalverwaltungsgesetz von 1995 niederschlug. Gleichzeitig zögerte das föderale Zentrum, die Kommunen in die Autonomie zu entlassen. Vor allem die lokalen Vertretungsorgane sind durch die politische Prämissendes Zentrums ins Abseits gedrängt worden. Die Implementierung des Kommunalverwaltungsgesetzes von 1995 führte dennoch zu einer Belebung des Selbstverwaltungsprinzips in den Kommunen. Da die Garantien für die finanzielle Selbstständigkeit der Kommunen aber unzureichend geregelt waren und die politische Unterstützung der Kommunen nicht konsequent erfolgte, kann ab Ende der 90er Jahre nicht mehr von einer autonomen kommunalen Ebene in der RF gesprochen werden. Die einzige Ausnahme bilden einzelne große Städte, die trotz wirtschaftlicher Abhängigkeit ihre politische Autonomie festigen konnten. Doch trotz dieses Autonomievorsprungs konnte sich auch hier keine vollwertige kommunale Demokratie entfalten, da der politische Wettbewerb durch die

---

153   Gercik weist darauf hin, dass die staatliche Kontrolle über die sachgemäße Mittelverwendung in den Kommunen bereits im zaristischen Russland ein Instrument der staatlichen Vereinnahmung gewesen ist, Gercik 1997, S. 2.

154   Gel'man 2003, S. 1350f.

AUTORITARISMUS STATT SELBSTVERWALTUNG   61

lokalen Eliten behindert wurde und es zur Entstehung defekter kommunaler Regime kam.[155]

Mit dem Amtsantritt Putins begann eine »Wende der gesamten Bundespolitik für den Bereich der kommunalen Verwaltung«.[156] Die föderale Politik war nun systematisch auf die Stärkung einer administrativen Vertikale gerichtet, die bis in die Kommunen reichen sollte. Das neue Kommunalgesetz, das am 1. Januar 2006 in Kraft treten sollte, zielt auf eine schrittweise Wiedereingliederung der Kommunen in den Staat. Die neue Kommunalreform wird voraussichtlich zu einer mittelfristigen Stabilisierung der kommunalen Finanzen führen – jedoch um den Preis der Aufhebung der kommunalen Autonomie. Diese Entwicklung gefährdet vor allem die Selbstständigkeit der wirtschaftlich prosperierenden Städte. Mit der Aufhebung der kommunalen Autonomie wird auch der Bevölkerung das Recht genommen, über lokale Angelegenheiten in eigener Verantwortung zu entscheiden. Die neue Kommunalreform kommt daher einer Aufkündigung des Prinzips kommunaler Selbstverwaltung in der RF gleich. Gel'man spricht in diesem Zusammenhang von einer »weichen« Revision des Art. 12 der Verfassung der RF – jenes Artikels, der die konstitutionelle Garantie der kommunalen Selbstverwaltung festschreibt.[157]

Nachdem die föderale Politik gegenüber der russischen Kommunalverwaltung und die Auswirkungen auf die kommunale Ebene seit Beginn der Perestroika im Überblick dargestellt wurden, soll der Blick nun auf die Stadt Kaliningrad gelenkt werden: Welche Auswirkungen hat die föderale Politik auf das dortige kommunale Verwaltungsmodell und wie nutzen die lokalen Akteure die mit dem Ende der Sowjetunion entstandenen Freiräume?

---

155   Brie prägt den Begriff der kommunalen »machine politics«, siehe Brie, Michael: The Political Regime of Moscow – Creation of a New Urban Machine?, Wissenschaftszentrum Berlin für Sozialforschung, Berlin 1997, S. 97-102.
156   Gel'man 2003a, S. 1346.
157   Siehe ebenda: »In der Russischen Föderation wird die lokale Selbstverwaltung anerkannt.«

3 Konflikte in der Institutionalisierungsphase

Die Institutionalisierungsphase der kommunalen Selbstverwaltung in Kaliningrad erstreckte sich über den Zeitraum von 1990 bis 1998. Kompetitive Wahlen des Stadtparlaments hatten erstmals 1990 und ein zweites Mal 1994 stattgefunden, der Bürgermeister wurde jedoch bis 1996 durch den »Stellvertreter des Präsidenten« ernannt.

Die »revolutionäre« Abwendung vom sowjetischen Verwaltungsmodell verlief in der Stadt nur schrittweise. Die 90er Jahre waren durch periodische Reformschübe und willkürliche Eingriffe in die Stadtpolitik gekennzeichnet, deren Höhepunkt Ende 1993 die Auflösung des Kaliningrader Stadtrates durch den Präsidenten El'cin darstellte.

Erst das Gebietsgesetz »Über die Grundlagen der kommunalen Selbstverwaltung in der Kaliningrader Oblast'« legte 1996 die rechtliche Basis für die Entfaltung einer selbstständigen und demokratisch verwalteten Kommune. Die 1996 zum ersten Mal durchgeführten Bürgermeisterwahlen und die gleichzeitig abgehaltenen Wahlen zum Stadtrat bildeten den vorläufigen Endpunkt des Institutionalisierungsprozesses. Leider war die neue Kaliningrader Stadtsatzung (»Ustav goroda Kaliningrad«) durch schwere demokratische Defizite gekennzeichnet, da es dem scheidenden Bürgermeister noch gelungen war, die Prämisse eines »vertikalen« Verfassungsmodells durchzusetzen. Der Stadtrat musste daraufhin in einer langwierigen Auseinandersetzung mit dem neuen Bürgermeister seine rechtliche Emanzipation zurückerobern. Durch die Verabschiedung zweier Satzungsänderungspakete im Herbst 1997 und im Sommer 1998 gelang den Stadträten schließlich eine »legale Revolution«, die ihre Vollmachten so weit ausdehnte, dass erstmals in der Geschichte der Stadt von einem tatsächlich eigenständigen kommunalen Vertretungsorgan die Rede sein konnte.

3.1 Die verpassten Anfänge

Am 6. Juli 1991 wurde – wie bereits erwähnt – durch den Volksdeputierten-kongress der RSFSR das Gesetz »Über die allgemeinen Grundsätze der Organisation der lokalen Selbstverwaltung« verabschiedet, das die Grundlage für die Entwicklung der kommunalen Selbstverwaltung in der Russischen Föderation legte. Da die Kaliningrader Kommunalpolitik zu diesem Zeitpunkt noch nicht von der Reformdebatte erfasst worden war und die Kenntnisse der Funktionsprinzipien kommunaler Selbstverwaltung gering waren, arbeitete der Stadtsovet zunächst weiter wie bisher und es änderte sich nichts an der Verwaltungspraxis.[158]

Nach dem Ende der gewaltsamen Auseinandersetzung zwischen Boris El'cin und dem Deputiertenkongress Ende 1993, dem »kalten Staatsstreich El'cins«, wurde der Kaliningrader Stadtsovet aufgelöst. Nach diesem Ereignis bildete eine Verordnung des Gouverneurs Matočkin die rechtliche Grundlage der städtischen Verwaltung in Kaliningrad. Die Verordnung »Über die Grundlagen der Organisation der lokalen Selbstverwaltung im Kaliningrader Gebiet« vom 24. Januar 1994 war vor allem darauf ausgerichtet, die administrative Kontrolle über die Stadt weiterhin zu sichern.

Die neue Stadtordnung war Ausdruck eines *roll-backs* der Exekutive:[159] Während der Stadtrat durch die Bevölkerung gewählt werden sollte, wurde der Bürgermeister durch den Gouverneur ernannt. Gleichzeitig war die Position des kommunalen Vertretungsorgans maßgeblich geschwächt worden. Die Zahl der Stadträte wurde durch den Gouverneur festgelegt und sie arbeiteten auf ehrenamtlicher Basis. Außerdem konnten Stadtratssitzungen nur durch den Bürgermeister einberufen werden, und das nicht häufiger als drei Mal im Monat (§ 8). Tatsächlich verwandelte die Verordnung die Selbstverwaltung in ein Instrument der staatlichen Exekutive, dessen Hauptaufgabe darin be-

---

158   Gespräch mit Vera Evseeva, Dozentin der Rechtswissenschaftlichen Fakultät der Staatsuniversität Kaliningrad am 24.5.2004.

159   Die von Mildner untersuchten Regionalverfassungen (St. Petersburg, Leningrad-skaja Oblast', Voronžskaja Oblast' und die Republik Komi), die die lokale Ebene regulieren, wiesen im Vergleichszeitraum »starke Departizipations- und Rezentra-lisierungstendenzen« auf und werden als »hyperadministrativ« beschrieben. Siehe Mildner 1996, S. 130.

stand, die »Ausführung der Gesetze der RF, der Verordnungen des Präsidenten der RF, die Rechtsakte der Gebietsduma und die Entscheidungen des Gebietsoberhauptes« zu gewährleisten (§ 10). Der Stadtrat wurde zunächst für einen Zeitraum von zwei Jahren gewählt. Zum Bürgermeister wurde V. Šipov ernannt.

Die Verabschiedung des Gesetzes »Über die Grundlagen der örtlichen Selbstverwaltung im Kaliningrader Gebiet« durch die Gebietsduma am 23. November 1995 markierte das Ende der direkten administrativen Kontrolle über die Stadt und machte den *roll back* der Exekutive rückgängig. Der Erlass erfolgte im Rahmen des Zeitplanes, der durch das föderale Gesetz »Über die allgemeinen Organisationsprinzipien« vorgegeben war. Wie in fast allen liberalen Regionen im Nordwesten Russlands stellte das Gesetz auch in Kaliningrad die Rechtsgrundlage für die Gemeinden dar. Das Gesetz der Kaliningrader Oblast' von 1995 ist jedoch nicht eigenständig ausformuliert, sondern kopiert fast wortwörtlich die Formulierungen des föderalen Gesetzes.[160]

3.2 Die Stadtsatzung von 1996

Die Stadtsatzung von 1996 ist in der Geschichte der Kaliningrader Selbstverwaltung ein wichtiges Dokument.[161] Ihre Verabschiedung bot erstmals die Chance, eine kohärente Ordnung für die Etablierung einer selbstverwalteten Kommune zu schaffen. Bis zum Inkrafttreten dieser ›kommunalen Verfassung‹ hatte es zwar zwei relativ unabhängige Stadtparlamente gegeben (1990-1993 und 1994-1996), die aus kompetitiven Wahlen hervorgegangen waren, der Bürgermeister war in diesem Zeitraum jedoch durch »den Vertreter des Präsidenten in der Kaliningrader Oblast'« (dahinter verbirgt sich der Gouverneur) ernannt worden und von diesem abhängig. Erst 1996 konnte die Bevölkerung den Bürgermeister erstmals direkt wählen.

---

160   Gespräch mit Vera Evseeva, Dozentin der Rechtswissenschaftlichen Fakultät der Staatsuniversität Kaliningrad am 24.5.2004.

161   Ustav goroda Kaliningrad (Stadtsatzung in der Fassung vom 1. Oktober 1996), in: Gorodskoj sovet deputatov; Mèria goroda Kaliningrada (Hg.): Sbornik normativnych dokumentov, Kaliningrad 1998, S. 3-67.

Leider konnte die Möglichkeit, eine demokratische Selbstverwaltung einzuführen, nicht sofort genutzt werden, da die Satzung in einem Setting[162] ausgehandelt wurde, in dem der amtierende (ernannte) Bürgermeister V. Šipov den Stadtrat und somit auch die Satzungsgebung dominierte. Das Bürgermeisteramt versuchte, die seit 1994 bestehende Dominanz der Exekutive trotz der Einführung freier Bürgermeisterwahl beizubehalten.[163] Das erklärt auch, warum sich in den Beratungen das Modell »starker Bürgermeister – schwacher Stadtrat« durchsetzen konnte, obwohl an der Ausarbeitung der Stadtsatzung Vertreter des Stadtrates – darunter sogar Mitglieder der liberalen Jabloko-Partei – beteiligt waren und die Öffentlichkeit über den Stand der Verhandlungen informiert wurde.

Das markanteste Merkmal der Kaliningrader Stadtverfassung ist die Macht- und Zuständigkeitskonzentration im Amt des Stadtoberhauptes und des Bürgermeisters. Die Befugnisse des Bürgermeisters gegenüber dem Stadtparlament sind so weitgefasst, dass eine politisch selbstständige Tätigkeit des kommunalen Parlaments im Rahmen der Satzungsnormen nicht mehr möglich ist. Damit wurde das Prinzip der Gewaltenteilung bereits auf der rechtlichen Ebene der Satzung de facto aufgehoben. Im ersten Artikel der Stadtsatzung wird städtische Selbstverwaltung in wörtlicher Übereinstimmung mit der russischen Verfassung definiert und die städtische Bevölkerung als alleiniger Träger aller Selbstverwaltungsrechte bestimmt (Art. 1 Abs. 2 und Art. 7 Abs. 1 der Kaliningrader Stadtsatzung, im Folgenden KStS). Die Kerninstitutionen der kommunalen Verfassung sind der direkt gewählte, 19-köpfige Stadtrat (»Gorodskoj sovet«) und der direkt gewählte Bürgermeister, der als Leiter des Bürgermeisteramtes die städtische Exekutive führt und als Stadtoberhaupt (»Glava goroda«) die höchste städtische Amtsperson darstellt.

---

162   Es handelt sich dabei um den alten, machtlosen Stadtrat, der 1994 gewählt worden war.

163   Siehe Gercik 1997. Im Verlauf des Satzungsgebungsprozesses wurde das Machtstreben der regionalen und lokalen Eliten deutlich, die die Herausbildung eines weiteren, alternativen Machtzentrums in Form des unabhängigen Kaliningrader Stadtrates in der Oblast' verhindern wollten.

Der Bürgermeister

Die Macht- und Zuständigkeitskonzentration im Amt des Bürgermeisters äußert sich in der neuen Stadtsatzung wie folgt: Der Bürgermeister vertritt als Stadtoberhaupt die Kommune nach außen (Art. 33 Abs. 1 Pkt. 2 KStS). Außerdem übernimmt er die laufende Verwaltung aller Fragen des städtischen Lebens (vor allem Art. 38 Abs. 1 Unterpkt. 9-15 KStS). Er führt das städtische Budget aus (Art. 38 Abs. 1 Unterpkt. 9 KStS), übernimmt die Ausarbeitung von Programmen und Plänen zur Entwicklung der Stadt (Art. 34 Abs. 1 Unterpkt. 8 und 9 KStS) und organisiert den ökonomischen und sozialen Bereich (Art. 38 Abs. 1 Unterpkt. 4 KStS). Außerdem kann der Bürgermeister im Rahmen seiner Kompetenzen rechtsetzend tätig werden, d.h. verbindliche Beschlüsse fassen und Verordnungen erlassen (Art. 39 Abs. 1 KStS). Er führt das Bürgermeisteramt und den städtischen Verwaltungsapparat[164] nach dem Prinzip der persönlichen Führung (Edinonačalie) (Art. 35 KStS) und darf deshalb die Struktur der Verwaltung in allen kommunalen Aufgabenfeldern erarbeiten und bestätigen (Art. 38 Abs. 1 Pkt. 2 und 3 KStS). Der Bürgermeister ernennt und entlässt nicht nur die Leiter der Ausschüsse und Abteilungen, sondern auch die Direktoren kommunaler Unternehmen, Einrichtungen und Organisationen und bestimmt die Verwendung des kommunalen Eigentums in Übereinstimmung mit den Entscheidungen des Stadtrates (Art. 38 Abs. 1 Pkt. 10 KStS).

Die Machtposition des Bürgermeisters gegenüber dem Stadtrat resultiert vor allem aus den folgenden Kontrollrechten, die deutlich machen, warum eine politisch selbstständige Tätigkeit des kommunalen Vertretungsorgans im Rahmen der Satzungsnormen nicht möglich ist: Der Bürgermeister ist Mitglied des Stadtrates, er leitet die Sitzungen und verfügt über das Recht der beratenden Stimme (soveščatel'ny golos; Art. 34 Abs. 1 Pkt. 1 und 2 KStS). Der Bürgermeister kann Entscheidungen des Stadtrates zurückweisen (Art. 34 Abs. 3 KStS). Sein Veto kann jedoch durch den Stadtrat mit einfacher Mehr-

---

164   Das Bürgermeisteramt, der Apparat des Bürgermeisters, entscheidet Fragen der kommunalen Grundversorgung (obespečenie žisnedejatel'nosti), der Aufrechterhaltung der sozialen Sphäre, der sozialökonomischen Entwicklung der Stadt, der Koordinierung von Maßnahmen aller Art auf dem Territorium der Stadt. Die detaillierte Auflistung der Zuständigkeiten des Bürgermeisteramtes füllt sechs A4-Seiten der Stadtsatzung.

heit überstimmt werden (Art. 34 Abs. 3 KStS). Der Bürgermeister hat das Recht, die Arbeit des Stadtrates zu koordinieren (»soglasovyvaet«; Art. 34 Abs. 1 Pkt. 5 KStS) und Beschlüsse des Stadtrates benötigen zum Inkrafttreten seine Unterschrift (Art. 34 Abs. 1 Pkt. 6 KStS). Der Stadtratsvorsitzende wird zwar durch die Stadtabgeordneten gewählt, aber durch den Bürgermeister vorgeschlagen (Art. 28 Abs. 2 KStS). Abgerundet werden die Rechte des Bürgermeisters dadurch, dass ihm die Kontrolle über die Finanzierung der laufenden Arbeit des Stadtrates und über die finanzielle Unterhaltung der ständigen Kommissionen und des Verwaltungsapparates des Stadtrates zufällt (Art. 28 Abs. 5 Unterpkt. 13; Art. 34 Abs. 1 Unterpkt. 12 KStS).

Der Stadtrat

Der Stadtrat vertritt die Interessen der Stadtbevölkerung (Art. 21 KStS). Hierfür stehen ihm 19 Abgeordnete zur Verfügung (Art. 22 Abs. 1 KStS), die in Einpersonenwahlkreisen nach einfachem Mehrheitswahlrecht gewählt werden. Der Stadtrat kann selbst über seine Struktur entscheiden (Art. 24 Abs. 1 KStS). Die Sitzungen werden durch den Bürgermeister und – wenn dieser abwesend ist – durch den Stadtratsvorsitzenden geleitet, der auch die laufende Arbeit organisiert und koordiniert (Art. 24 Abs. 1 KStS). Stadtabgeordnete können ihr Amt vollzeitlich wahrnehmen. Über die Zahl der vollberuflich Tätigen und die Höhe der Entlohnung entscheidet der Stadtrat (Art. 27 Abs. 2 KStS). Eine »ausschließliche Zuständigkeit« des Stadtrates besteht für wichtige und weitgefasste Aufgabenfelder wie

- die Annahme von allgemeinverbindlichen Regeln in allen Zuständigkeitsbereichen der Kommune,
- die Bestätigung des Stadtbudgets und dessen Aufstellung und Ausführung,
- die Annahme von Stadtentwicklungsplänen und -programmen,
- die Aufstellung von örtlichen Steuern und Abgaben,
- die Aufstellung einer Rahmenordnung für die Verwaltung und Verwendung des kommunalen Eigentums,
- die Kontrolle über die Tätigkeit der Organe der kommunalen Selbstverwaltung und der kommunalen Amtspersonen,
- die Verabschiedung von kommunalen Rechtsakten,
- die Festlegung örtlicher Steuern,

- die Bestätigung ernannter Amtspersonen des Bürgermeisteramtes (Vizebürgermeister, Leiter des Finanzamtes, Bezirksverwaltungsleiter) und
- weitere Zuständigkeiten in allen Bereichen der Kommunalpolitik.[165]

Bürgerbeteiligung

Dank der neuen Stadtsatzung ist die Mitwirkung der Bürger an der städtischen Kommunalpolitik nicht nur auf die Teilnahme an Wahlen beschränkt. In
der Stadtsatzung sind neben einer Reihe von Rechenschaftspflichten der
Stadtverwaltung auch Formen der direkten Bürgerbeteiligung sowie Anhö-
rungsrechte der Bürger enthalten, welche die Position der städtischen Bevölkerung gegenüber der Verwaltung stärken. Zu den Formen der direkten Bürgerbeteiligung gehören:

- das städtische Referendum (Art. 13),
- die Bürgerversammlung und -konferenz (Art. 14) und
- das Recht der Bürgerschaft, kommunale Satzungen zu initiieren (Art. 16).

Alle drei Verfahren werden bereits im föderalen Gesetz »Über die Prinzipien«
und im Selbstverwaltungsgesetz der Kaliningrader Oblast' genannt und geregelt. In der Kaliningrader Stadtsatzung sind deshalb nur die Anforderungen
an die Einleitung des jeweiligen Verfahrens konkretisiert. So kann beispielsweise ein Referendum nicht nur durch die Mehrheit der gewählten Stadtver-
ordneten, sondern auch auf Antrag von mindestens 10 % der Bevölkerung
durchgeführt werden. Hierzu ist zu sagen, dass die Hürden für Formen der
direkten Beteiligung der Bevölkerung jedoch so hoch sind, dass eine Anwendung in der Praxis unwahrscheinlich ist. Einige der institutionellen Möglichkeiten – wie z.B. die Bildung eines konsultativen Bürgerrates oder die Bürger-
satzungsinitative (Art. 16 KStS) – könnten jedoch durchaus von einer aktiven
Zivilgesellschaft genutzt werden, um Einfluss auf die Stadtpolitik auszuüben.

Auch über die Verletzung des Prinzips der Gewaltenteilung hinaus ist die Ka-
liningrader Stadtsatzung fehlerhaft und verstößt mehrfach gegen föderales
Gesetz. Das entspricht dem Trend, dass die kommunale Gesetzgebung in
Russland meist von niedriger Qualität ist und im Widerspruch zu föderalem
Recht steht. Gleichzeitig zeigt die konkrete Art der Rechtsabweichungen, dass

---

165   Siehe Artikel 23 der Kaliningrader Stadtsatzung.

das Bürgermeisteramt dazu neigt, sich Vollmachten anzueignen, die den Entscheidungsfreiraum der kommunalen Exekutive erweitern.[166]

3.3 Fehlstart des Stadtrates

Der 1996 gewählte Kaliningrader Stadtrat hat eine schwierige Vorgeschichte.[167] Die ersten Stadtratswahlen nach der Verabschiedung der regionalen Gesetzes »Über die Grundlagen der örtlichen Selbstverwaltung« im Juni 1996 konnten nicht anerkannt werden, da in allen 19 Wahlkreisen entweder die Mindestwahlbeteiligung unterschritten worden war, oder die Zahl der Stimmen »gegen alle Kandidaten« größer war, als die höchste Zahl, die ein einzelner Bewerber im jeweiligen Wahlkreis auf sich vereinigen konnte. Die Nachwahlen wurden auf Dezember 1996 verschoben. Gleichzeitig wurde die Beschränkung der Mindestwahlbeteiligung aufgehoben und eine Regelung eingeführt, nach der die Wahlen unabhängig von der Stimmenzahl »gegen alle Kandidaten« anerkannt werden sollen.

Der neu gewählte Stadtrat konnte seine Struktur, die Vollmachten der Stadträte etc. erstmals nach den Regeln der Stadtsatzung vom 1. Oktober 1996 (Tag der Registrierung) bestimmen. Gleichzeitig wies die demokratische Legitimität des Vertretungsorgans vor allem aufgrund der hohen Zahl von Wählern, die auch in der Wiederholungswahl »gegen alle Kandidaten« gestimmt hatten, massive Defizite auf. Der Spielraum des Stadtrates war außerdem durch die exekutivlastige Kommunalverfassung beschnitten, weshalb die Zufriedenheit der Stadträte mit dem Status, den die Stadtsatzung ihnen verlieh, vom Tage ihres Mandatsantritts an gering war.[168]

---

166   Auskunft von Vera Evseeva, Dozentin an der Rechtswissenschaftlichen Fakultät der Staatlichen Kaliningrader Universität am 24.5.2004.
167   Gercik, I.: Organizacija mestnogo samoupravlenija v Kaliningradskoj Oblasti, in: Mestnoe samoupravlenie, Beilage zum Journal Severnaja Pal'mira, St. Petersburg, 1997, S. 218-226, http://snpi.org.ru/index.php?do=biblio&doc=248 (zuletzt geöffnet am 24.2.2007).
168   Die Stadtsatzung wurde noch unter Bürgermeister V. Šipov ausgearbeitet, der 1991 durch den Gouverneur Jurij S. Matočkin ernannt worden war. Siehe Gercik 1997, S. 2.

Zusammenfassend ist zu sagen, dass das Repräsentativorgan der Stadt mit einem ›Geburtsfehler‹ versehen ist, der die Wahrnehmung seiner Rolle im Rahmen der Stadtverfassung und die Konsolidierung des repräsentativen Moments in der Kommunalverwaltung langfristig behindert.

3.4 Die legale Revolution

Angesichts dieser wenig zufriedenstellenden Situation begann seit Ende 1996 eine Gruppe aktiver Abgeordneter, die sich um den ehemaligen Polizei-oberst Viktor Syrovatko und den Redakteur der Boulevardzeitung »Novye kolesa« – Igor' Rudnikov – formierte, eine Revision der Stadtsatzung anzu-streben, um die Befugnisse des Stadtrats auszuweiten. Während der Amts-zeit Igor' Kožemjakins – der 1996 Nachfolger von V. Šipov geworden war – gelang es dem Stadtrat bereits im Oktober 1997, ein ganzes Paket von Ände-rungen der Stadtverfassung durchzusetzen, welche die Position des Stadt-rates gegenüber dem Bürgermeister maßgeblich aufwerteten.[169]

Die wichtigste Neuerung bestand darin, dass die Kontrollkompetenz über die Finanzierung der laufenden Arbeit des Stadtrates, der Unterhaltung der stän-digen Kommission und des Verwaltungsapparates vom Bürgermeister auf den Vorsitzenden des Stadtrates übertragen wurde (Art. 28 Abs. 5 Unter-pkt. 13; Art. 34 Abs. 1 Unterpkt. 12; siehe auch: Art. 30 Abs. 2 KStS). Außer-dem erhielten die Abgeordneten das Recht, die Bildung und Nutzung außer-budgetärer Fonds zu kontrollieren und waren damit in der Lage, einer extra-legalen Finanzpolitik des Bürgermeisteramtes effektiv entgegenzuwirken (Art. 23 Abs. 2 Unterpkt. 7 KStS).

Weitere Änderungen zielten darauf ab, die außerordentliche Machtfülle des Bürgermeisters zu beschneiden: Nach Änderung von Art. 34 Abs. 1 Unter-pkt. 13 der revidierten Stadtsatzung hat der Bürgermeister nicht mehr das Recht, im Namen des Stadtrates Strafverfolgungsbescheide an Gerichtsbe-

---

169   Ustav goroda Kaliningrad (Stadtsatzung in der Fassung vom 1. Oktober 1996), in: Gorodskoj sovet deputatov; Mèria goroda Kaliningrada (Hg.): Sbornik normativ-nych dokumentov, Kaliningrad 1998, S. 3-67, ustav goroda Kaliningrad (Stadtsat-zung in der geänderten Fassung vom Oktober 1998), http://www.klgd.ru/ru/legislation/usta.php (zuletzt geöffnet am 15.3.2005).

hörden einzureichen. Außerdem wurden seine Möglichkeiten, die Bevölkerung in Referenden gegen den Stadtrat zu mobilisieren, eingeschränkt (Art. 13 Abs. 4 und 5 KStS) und die Zugriffsrechte des Bürgermeisters auf Zusammenschlüsse der gesellschaftlichen Selbstverwaltung in den Stadtbezirken beschnitten (Art. 50 Abs. 6, Art. 51 Abs. 1, Art. 52 Abs. 1 KStS).

Die »legale Revolution« fand im Juli 1998 mit drei weiteren Satzungsänderungen ihren Abschluss. Nach der neuen Fassung wurde der Stadtratsvorsitzende, der die laufende Arbeit des Stadtrates organisiert, nicht mehr durch den Bürgermeister vorgeschlagen und dann durch den Stadtrat gewählt, sondern in »geheimer Wahl aus dem Kreis der Abgeordneten« bestimmt (Art. 28 Abs. 2 KStS). Außerdem verlor der Bürgermeister das Recht, die Arbeit des Stadtrates zu koordinieren (»soglasovyvat« Art. 34 Abs. 1 Unterpkt. 5 KStS). Zum Inkrafttreten von Entscheidungen und Beschlüssen des Stadtparlaments war nun die Unterschrift des Bürgermeisters nicht mehr nötig (Art. 34 Abs. 1 Unterpkt. 6 KStS).

Mehrere zielstrebig verfolgte Satzungsänderungsverfahren des Stadtrates führten nach anderthalb Jahren zu einer Demokratisierung der Kaliningrader Stadtverfassung. Das zweite Reformpaket des Stadtrates trat im Herbst 1998 in Kraft und erst damit kann der Institutionalisierungsprozess des kommunalen Selbstverwaltungsmodells in der Stadt Kaliningrad als abgeschlossen gelten. Das zentrale Manko der Stadtsatzung – die Verletzung des Gewaltenteilungsgrundsatzes durch die Kompetenzkonzentration beim Bürgermeister – wurde damit durch die Stadträte aufgehoben. Für die Durchführung der legalen Revolution mussten sie lediglich das ihnen de jure zustehende Satzungsänderungsrechtin Anspruch nehmen.

3.5 Der »Krieg« zwischen Stadtrat und Bürgermeister

Dass dem Konflikt zwischen dem an Selbstbewusstsein gewinnenden Stadtrat und dem Bürgermeister ein harter Machtkampf zugrunde lag, zeigt die folgende Auseinandersetzung, die im Frühjahr 1998 zwischen dem Kommunalparlament und dem Bürgermeister entbrannte. Der Konflikt erinnert aufgrund seiner Heftigkeit entfernt an den Kampf zwischen Präsident El'cin und dem Parlament in den Jahren 1992/93.

Der damalige Kaliningrader Bürgermeister Igor' Kožemjakin war Anfang 1998 schwer erkrankt und musste sich langsam aus seinem Amt zurückziehen.[170] Um zu verhindern, dass die Macht in der Stadt an den Stadtrat fiel, ernannte er – die Stadtsatzung umgehend – einen loyalen Mitarbeiter zum amtierenden Bürgermeister. Der Stadtrat reagierte prompt, erklärte das Manöver für illegal und ernannte den Stadtratsvorsitzenden zum Stadtoberhaupt. Mit diesem Schritt trat die Kommune in die Phase eines kalten Kriegs zwischen Bürgermeisteramt und Stadtrat ein. Der Zustand der »Doppelherrschaft« war dabei so angespannt, dass der Stadtrat in seinem Tagungsgebäude ein spezielles Sicherheitsregime einführte und nur einer begrenzten Zahl von Beobachtern Zutritt gewährte, um seiner gewaltsamen Auflösung vorzubeugen.

Am 2. März forderte der Gebietsstaatsanwalt den Kandidaten des Bürgermeisters – Aleksandr Grigor'ev – auf, die Vollmachten des amtierenden Bürgermeisters nicht länger wahrzunehmen, da eine Klage des Stadtrates gegen seine Ernennung noch nicht entschieden sei. Einen Tag später übernahm der Vizebürgermeister Jurij Savenko die Amtspflichten des Bürgermeisters. Er war rechtmäßig derjenige, der den Bürgermeister bei Abwesenheit kommissarisch zu vertreten hatte.

Auf Druck der Gebietsstaatsanwaltschaft begann der Stadtrat daraufhin seine Position zu mäßigen und bekräftigte seine Loyalität gegenüber Jurij Savenko. Nach dem Tod Kožemjakins hobender kommissarische Bürgermeister und der ›zweite Bürgermeister‹ des Stadtrates am 25. März dessen extralegale Verordnungen auf und das Bürgermeisteramt ging vollständig an Jurij Savenko über. Kurze Zeit später wurden die Bürgermeisterwahlen auf den 11. Oktober 1998 festgesetzt.

3.6 Schlussfolgerungen

Die langgestreckte und konfliktreiche Institutionalisierungsphase der kommunalen Selbstverwaltung in Kaliningrad fand erst im Oktober 1998 ihren Ab-

---

170   Wiedergabe des Konfliktes nach der Chronik der Kaliningrader Stadtverwaltung 1998-2000, http://www.panorama.ru/works/mery/klg.html (zuletzt geöffnet am 24.2.2007).

schluss. Die Stadtsatzung, die zu diesem Zeitpunkt die Grundlage der kommunalen politischen Ordnung bildete, entsprach im wesentlichen den Anforderungen einer ›arrivierten‹ kommunalen Selbstverwaltung (siehe oben Kapitel 1.4). Der durch Verzögerungen, Brüche und Auseinandersetzungen geprägte Institutionalisierungsprozess hinterließ jedoch eine Fülle von Problemen, die sich auf die Konsolidierungsphase der Kommune negativ auswirkten.

Da die Auseinandersetzung um die Stadtsatzung durch polarisierende Konflikte geprägt war, kam es auf der kommunalen Ebene nicht zu einem »elite settlement«[171] Die Spaltung der kommunalen Elite in das Lager des Bürgermeisteramtes und des Stadtrates konnte nicht überwunden werden. Die zeitweilige Eskalation des Konflikts zwischen Bürgermeister und Stadtrat stellte außerdem infrage, ob in Zukunft ein gleichberechtigter Umgang beider Organe einverständlich möglich sein würde. Ausdruck für die Legitimationsdefizite der Stadtsatzung ist die Tatsache, dass der neue Bürgermeister Jurij Savenko, der im Oktober 1998 sein Amt antrat, sogleich erklärte, dass er die Kompetenzverteilung zwischen Stadtrat und Stadtoberhaupt, wie sie in der Stadtsatzung festgeschrieben ist, nicht akzeptiert.

---

171   Siehe oben Kapitel 1.1.

4 Akteurskonstellation in der Konsolidierungsphase

Aus dem Konsolidierungsansatz lassen sich die Fragen ableiten, die für die Entwicklung der Kaliningrader Kommune nach der revolutionären Revision der Stadtverfassung von Bedeutung sind: Beginnen die relevanten Akteure, die Normen der Stadtsatzung zu internalisieren? Ist das Verhältnis zwischen den Organen der Kommunalverwaltung durch die von der Satzung vorgegebenen Regeln bestimmt? Wird der Grundsatz der Gewaltenteilung respektiert? Findet eine demokratische Konsolidierung der städtischen Gesellschaft statt? Kann das Mediensystem eine unabhängige Information der Bevölkerung gewährleisten?

Das Bild ist in der Tat ernüchternd. Da das Politikverständnis des Bürgermeisters nicht mit den normativen Anforderungen kommunaler Demokratie korrespondiert, fühlte er sich der Stadtsatzung nicht verbunden, sondern nutzte seine exponierte Stellung dazu, die politische Macht in der Stadt zu monopolisieren. Diese Strategie, die auf eine faktische Aufhebung der Stadtsatzungsordnung abzielte, war erfolgreich, da der Bürgermeister über Ressourcen verfügt, die es ihm erlauben, den politischen Prozess in der Kommune zu dominieren. Zu diesen Ressourcen zählen a) die umfangreichen formalen Kompetenzen, die ihm die Stadtsatzung verleiht (Kap. 3.2 und 3.4), b) die Legitimation, die er als direkt gewählte Amtsperson besitzt sowie der Rückhalt, den er in der politisch-bürokratischen Elite der Stadt hat und c) die Führungs- und Verwaltungserfahrung, die er im Rahmen seiner Karriere in Militär und Verwaltung sammeln konnte.

Die Strategie des Bürgermeisters hätte jedoch keinen Erfolg gehabt, wenn die städtische Gesellschaft stärker differenziert wäre und der Stadtrat eine aktivere Rolle einnehmen würde. Aufgrund der strukturellen Schwäche des Vertretungsorgans (Kap. 4.2), der Abhängigkeit des Mediensystems (Kap. 4.3) und der politisch machtlosen städtischen Zivilgesellschaft (Kap. 4.4) gelang es dem Bürgermeister, in der Kommune ein politisches Regime zu etablieren, das auf einer Personalisierung und Monopolisierung der Macht beruht.

4.1 Der Bürgermeister

>»In China habe ich die Einheit von Theorie und Praxis,
> Wort und Tat, Absicht und Ergebnis besichtigt.«
> Jurij Savenko[172]

Das herausragende Merkmal des kommunalen politischen Systems in Kaliningrad ist die Dominanz der Person des Bürgermeisters im politischen Prozess. Diese Aussage trifft im Besonderen auf den seit 1998 amtierenden Bürgermeister Jurij Savenko zu. Im Folgenden soll deshalb herausgearbeitet werden, auf welches Politik- und Herrschaftsverständnis er sich beruft und mithilfe welcher Legitimationsprinzipien er seinen Einfluss rechtfertigt. Da Savenko im kommunalen System Kaliningrads tonangebend ist, kann davon ausgegangen werden, dass sein Politikstil auch für andere politische Akteure handlungsleitend ist.

Die Dominanz von Jurij Savenko beruht im wesentlichen auf zwei Pfeilern: a) Auf den Spielräumen, die ihm die Machtfülle seines Amtes (Kap. 3.2) eröffnet und b) auf seinem Führungsstil und Politikverständnis, das ich im Folgenden anhand von Interviews nachzeichnen werde, die Savenko im Verlaufe seiner Amtszeit der lokalen Presse gegeben hat. Er entspricht darin in vielen Punkten einem für die Ära Putin typischen Politikerprofil.

Die berufliche Karriere Jurij Savenkos
Der amtierende Bürgermeister Jurij Alekseevič Savenko hat eine beispielhafte postsowjetische Karriere absolviert, wie sie für ehrgeizige Männer seiner Generation typisch ist, die aus den sowjetischen Militär- oder Sicherheitsinstitutionen stammen.[173] Savenko wechselte Anfang der 90er Jahre in die öffentliche Verwaltung, arrangierte sich offenbar problemlos mit den Neuerungen in Politik und Wirtschaft und rückte rasch in Spitzenpositionen auf.

---

172   Savenko, Jurij: Predvybornye razmyšlenija mèra-kandidata na otvlečënnye političeskie i èkonomičeskije temy, in: Kaliningradskaja Pravda, 3.10.2002, ähnliche Äußerungen Savenkos lassen sich öfter in der regionalen Presse finden, siehe u.a. Mulkachajnen, A.: Jurij Savenko: »Ljudi vbrali tech, kogo vybrali«, in: Moskovskij Komsomolez v Kaliningrade 15.3.2001.
173   Die Ähnlichkeit mit der Karriere Vladimir Putins und die Parallelen im Politikverständnis und dem politischen Führungsstil sind auffällig.

Jurij Savenko, Jahrgang 1961, diente von 1978 bis 1981 in der Baltischen Flotte. Er absolvierte sein Studium an einer Militärhochschule (»Vysšee voenno-političeskoe učilišče«) in Kiew mit dem Ziel, in den Stabsdienst einzutreten. Nach Abschluss der Ausbildung diente er in der Stadt Korsakov in der Sachaliner Oblast' als Offizier der Pazifikflotte. 1990 wurde er als Vertreter eines Schiffsverbandes der Hafenpatrouille in den Stadtrat der Stadt Korsakov gewählt. Ein Jahr später wurde er vom Gouverneur des Gebiets zum Bürgermeister ernannt. Seit 1993 arbeitet Savenko in der Stadtverwaltung von Kaliningrad. Dort hat er einen schnellen Aufstieg absolviert. Zuerst war er stellvertretender Vorsitzender des Dezernats für Stadtbau, dann Vizebürgermeister und Dezernent für Stadtbau und seit 1996 als erster Stellvertreter des Bürgermeisters verantwortlich für kommunale Dienstleistungen, kommunale Wirtschaft und Stadtbau. Nach dem Tod seines Vorgängers Koжemjakin im März 1998 war er kommissarischer Bürgermeister der Stadt Kaliningrad.[174] Am 25.10.1998 wurde er im zweiten Wahlgang zum Bürgermeister gewählt. 2002 konnte Savenko bereits im ersten Wahlgang sein Mandat bis zum Jahr 2006 verlängern.

Jurij Savenko gehörte lange Zeit keiner Partei an[175] und vermochte seine Parteilosigkeit strategisch zu nutzen. So ging er im Vorfeld der Stadtratswahlen im Jahre 2001 eine informelle Koalition mit der kommunistischen Partei ein, um eine ihm loyale Mehrheit im Stadtrat zu gewinnen und kandidierte während der Staatsdumawahlen 2003 für die Präsidentenpartei »Einiges Russland«, ohne jedoch selbst Mitglied zu sein. Obwohl Savenko damals über die Parteiliste ein Mandat gewinnen konnte, hat er es mit der Begründung abgelehnt, als Bürgermeister mehr für Kaliningrad tun zu können. Seit dem 31.8.2004 ist er Mitglied der Partei »Einiges Russland«. Da der Kaliningrader Gouverneur ebenfalls Mitglied dieser Partei ist, erhoffte Savenko sich durch seinen Beitritt offenbar einen strategischen Zugewinn an Macht. Hierzu muss man wissen, dass die politischen Ambitionen Savenkos über die Position des Bürgermeisters hinausreichen. Bereits bei der Gouverneurswahl im Jahre 2001 hatte er für das Amt des Gouverneurs kandidiert und man rech-

---

174 Siehe die Chronik der Kaliningrader Stadtverwaltung 1998-2000, http://www.panorama.ru/works/mery/klg.html (zuletzt geöffnet am 24.2.2007).

175 Vor der Auflösung der Sowjetunion war Jurij Savenko Mitglied der KPdSU.

nete ihm gute Chancen aus, da er Bevölkerungsumfragen zufolge in der Kaliningrader Oblast' regelmäßig die besten Bewertungen erhielt. Es ist zu vermuten, dass Savenko auf Druck des Kremls seine Kandidatur kurz vor den Wahlen zurückziehen musste.[176] Zwischenzeitlich kam es immer wieder zu Konfrontationen mit dem derzeitigen Gouverneur Vladimir Egorov,[177] da Savenko weiterhin Ansprüche auf das Gouverneursamt anmeldete, das 2005 erneut zur Disposition stand.

Das Politikverständnis und der Herrschaftsanspruch Jurij Savenkos
Im Kern hat Jurij Savenko eine *materialistisch-dialektische* Sicht auf die Systeme Politik und Wirtschaft und geht davon aus, dass

»Politik der konzentrierte Ausdruck (vyražienie) der wirtschaftlichen Situation [ist].«[178]

Aus seiner Sicht auf die Funktionsweise der Gesellschaft leitet Savenko die Notwendigkeit ab, (Macht-)Ressourcen in der Stadt zu konzentrieren, um bestimmte sozioökonomische Entwicklungsziele zu erreichen:

»Das Geheimnis des wirtschaftlichen Erfolgs besteht in seinem politisch regulierten Kurs. [...] Anders gesagt: Die entwickelte politische Linie erlaubt es, die Wirtschaft der Stadt so zu steuern, dass man innerhalb kurzer Zeit bei uns die gleichen Ergebnisse erreichen kann, die wir bereits in China beobachten konnten.«[179]

Im Hinblick auf die wirtschaftliche Modernisierung gilt es nach Ansicht des Bürgermeisters

»ein erfolgreiches Modell der administrativen Vertikale [zu schaffen], die Reform der Steuer- und Zollsysteme voranzubringen, die Infrastruktur auszubauen, Munizipalreformen zu beschleunigen, die günstige geopolitische Lage geschickt zu nutzen [und] ausländische Investitionen anzuziehen.«[180]

---

176   Denisenkov, Aleksej: Po gladen'koj dorožke, in: Ékspert Severo-Zapad, 9 (70), 4.3.2002.
177   N.N.: Vlast': vertikal'nye intrigi, in: Majak Baltiki, 15.10.2004.
178   Savenko, Jurij: Predvybornye razmyšlenija mèra-kandidata na otvlečënnye političeskie i èkonomičeskije temy, in: Kaliningradskaja Pravda, 3.10.2002.
179   Ebenda.
180   Ebenda.

Die Steuerung der Prozesse liegt beim Bürgermeister. Das Prinzip der Gewaltenteilung zwischen den Organen der Selbstverwaltung ist vor diesem Hintergrund irrelevant:[181]

>>Eine Quelle des Erfolgs ist eine klare Wirtschaftspolitik. In der Stadt sollte sie durch den Bürgermeister festgelegt werden.<<[182]

Seinen Führungsanspruch untermauert Savenko, indem er beansprucht, der >>Herr in der Stadt zu sein<<[183] (>>chozjain v gorode<<). Dieser Anspruch spiegelt sein autoritäres Politikverständnis wider, das sich im Rahmen einer paternalistischen Logik bewegt: Der Bürgermeister ist die oberste Instanz in der Stadt und er hat in allen Fragen das letzte Wort.[184]

Die folgenden Zitate, die diese Einschätzung belegen sollen, entstammen einem Artikel, der in der wichtigsten regionalen Tageszeitung Kaliningrads im Februar 1999 erschienen ist. Darin zieht die persönliche Pressereferentin des Bürgermeisters Bilanz über die ersten hundert Tage der Amtszeit Jurij Savenkos und entfaltet gleichzeitig sein Programm der kommunalen Politik. Elemente dieser Argumentationslinie lassen sich auch in Artikeln der regionalen Presse und in Dokumenten des Bürgermeisteramtes, einschließlich der jährlichen Rechenschaftsberichte, finden.

Jurij Savenko lebt

>>gemäß dem Prinzip, alle Verantwortung auf sich selbst zu nehmen und ist in der Tat ein Anhänger eines persönlichen, rigorosen Führungsstils (>Storonnikom edinonačalia<). [...] Savenko erkennt außerdem nur die Autorität von Fachleuten an.<<[185]

---

181   Jurij Savenko, so der Vorsitzende des Stadtrates, >>betrachtet sich selbst nicht nur als Teil der Exekutive, [sondern auch als Teil der Legislative, T.B.] weil er ein Wahlamt ausübt und repräsentative Funktionen hat.<< Siehe ebenda.

182   Ebenda.

183   Nagornych, Elena: Gorodskoj romans Jurija Savenko, in: Kaliningradskaja Pravda, 20.2.1999 (Bilanz der ersten 100 Tage durch die persönliche Pressereferentin Savenkos).

184   Die Aussage spiegelt ebenfalls die in der lokalen russischen Politik bestehende Einstellung wider, dass >>Macht [...] etwas [ist], was monopolisiert werden muss.<< Siehe Kirkow 1997, S. 44.

185   Nagornych, Elena: Gorodskoj romans Jurija Savenko, in: Kaliningradskaja Pravda, 20.2.1999.

Die Universalität des Führungsanspruchs wird daran deutlich, dass er auf den Bereich der kommunalen Finanzen ausgeweitet wird:

»Die Führung der städtischen Finanzen kann man Jurij Aleksandrovič nicht aus der Hand nehmen. Er ist der hauptsächliche Administrator der städtischen Finanzen. Und verantwortungsbewusst kann die Budgetmittel nur derjenige ausgeben, der genau die strategischen Prioritäten zur Aufrechterhaltung des städtischen Lebens kennt.«[186]

Auch eine unabhängige Presse wird – liest man zwischen den Zeilen – durch den Bürgermeister nicht akzeptiert, denn Jurij Savenko

»will nicht einsehen, warum die Kaliningrader Pravda nicht ein Ableger der Öffentlichkeitsabteilung des Bürgermeisteramtes [...] sein sollte.«[187]

Die paternalistischenGrundhaltung wird auch anhand von Hinweisen auf die robuste Gesundheit und Jugendlichkeit und das physische Durchsetzungsvermögen Savenkos deutlich.[188] Darüber hinaus dient die Tatsache, dass er Präsident der regionalen Föderation für Kraftsport ist, die Patronage für den Boxsport in der Stadt übernimmt und gute Kontakt zum Militär pflegt, seiner Stilisierung zum entscheidungsstarken Stadtoberhaupt.[189]

Der Herrschaftsanspruch Savenkos besteht tendenziell gegenüber allen Sphären und Akteuren des städtischen Lebens. Gegenüber den Unternehmern wird dies folgendermaßen zum Ausdruck gebracht:

»In der Wirtschaft gibt es leider sehr viele, die sich als Politiker versuchen. Das macht die Lösung vieler wirtschaftlicher Probleme schwierig.«[190]

Savenkos Herrschaftsverständnis ist außerdem durch ein starkes bürokratisches Element geprägt:[191]

186   Ebenda.
187   Ebenda.
188   Nagornych, Elena: S adrenalinom u glavy porjadok, in: Kaliningradskaja Pravda, 1.6.1999.
189   Siehe Kaliningradskaja Pravda, 15.1.2002; Ankündigungen für einen Boxkampf unter der Patronage des Bürgermeisters hingen im Mai 2004 in der Stadt aus.
190   Savenko, Jurij: Predvybornye razmyšlenija mèra-kandidata na otvlečènnye političeskie i èkonomičeskie temy, in: Kaliningradskaja Pravda, 3.10.2002.
191   »In most authoritarian regimes some bureaucratic entities play an important part.« Siehe Linz, Juan J.; Stephan, Alfred: Problems of democratic transition and con-

»Für eine effektiv funktionierende Stadtwirtschaft und eine städtische [Privat- T.B.] Ökonomie braucht man in der heutigen Zeit kein detailliertes Entwicklungsprogramm, sondern eine effektive städtische Wirtschaftsverwaltung. [...] Damit so ein System effektiv funktioniert, bedarf es einer größtmöglichen Zahl fähiger und vor allem *de-politisierter* Mitarbeiter, die im Rahmen ihrer Arbeit mit gesundem Verstand und ohne Emotionen Führungsstärke zeigen.«[192]

Damit korrespondiert ein administratives Verständnis von Politik:

»Viele ökonomische Fragen sind politisiert. Dazu kann man in unserer Stadt die Verabschiedung des städtischen Budgets, den Straßenbau und die Probleme des Wohnungsbaus zählen. Wenn man sich von politischen Emotionen befreit und wenn man hartnäckig auf der Position der Wirtschaftlichkeit beharrt, kann sich die Stadt effektiver und intensiver entwickeln.«[193]

Savenko erkennt den bestehenden Pluralismus in der Gesellschaft nur soweit an, wie er der Konsolidierung der städtischen Gemeinschaft dient. Daraus ergibt sich eine starke korporatistische Tendenz der städtischen Politik:[194]

»Unsere Stadt – ich fürchte diese Worte nicht – stellt heute ein verwirrtes Knäuel vielschichtiger, sich widersprechender Interessen politischer, territorialer und ökonomischer Art dar.«[195]
»Für mich als Bürgermeister ist es wichtig, Ordnung in alle Lebensbereiche der Stadt zu bringen.«[196]

Es wird deutlich, dass die Idee der zentralen Steuerung gesellschaftlicher Prozesse für das Denken des Bürgermeisters charakteristisch ist. Sein autoritärer Herrschaftsanspruch ist gegenüber der Öffentlichkeit in ein paternali-

---

solidation, London 1996, S. 54; Die Einstellung ist Ausdruck der »tief verwurzelte[n] Gewohnheit, Bevölkerung durch hierarchische Verwaltungsapparate zu regieren.« Siehe Kirkow 1997, S. 44.

192   Savenko, Jurij: Predvybornye razmyšlenija měra-kandidata na otvlečěnnye političeskie i ėkonomičeskije temy, in: Kaliningradskaja Pravda, 3.10.2002.
193   Ebenda.
194   Siehe die Diagnose von Kirkow zur lokalen russischen Politik: es handelt sich hier um ein »strong element of state paternalism and local corporatism«, Kirkow 1997, S. 53.
195   Savenko, Jurij: Predvybornye razmyšlenija měra-kandidata na otvlečěnnye političeskie i ėkonomičeskije temy, in: Kaliningradskaja Pravda, 3.10.2002.
196   Ebenda.

stisches Gewand gekleidet.   Das Demokratieverständnis, das dem zu Grunde liegt, ist aliberal, da es pluralistische Interessenvielfalt ausklammert:

»Einvernehmliches Handeln (vsaimodejstvie) von Selbstverwaltungs-organen und Bevölkerung ist wirkliche Demokratie.«[197]

Nach Merkel et al. hängt das »Funktionieren von Institutionen und die erfolg-reiche Übersetzung von Regeln in effektive Handlungsorientierungen nicht allein von ihrer konsistenten und vernünftigen Konzeption ab, sondern beruht auch darauf, wie diese von individuellen und kollektiven Akteuren akzeptiert werden.«[198] Wie gezeigt werden konnte, orientiert sich Savenkos Politikver-ständnis nicht an den normativen Vorgaben, die die Stadtsatzung impliziert und er ist in der Lage, eine informelle Ordnung zu etablieren, die das Sat-zungsmodell überlagert.

Der Einsatz ›administrativer Ressourcen‹ im Bürgermeisterwahlkampf
Dass der Bürgermeister seinen Herrschaftsanspruch nicht nur gegenüber dem kommunalen Vertretungsorgan, sondern auch gegenüber der städti-schen Gesellschaft durchzusetzen vermag, lässt sich paradigmatisch am Verlauf der Bürgermeisterwahlkämpfe zeigen.

Jurij Savenko konnte sich in den Wahlkämpfen der Jahre 1998 und 2002 ge-gen seine Konkurrenten durchsetzen. Im ersten Wahlkampf gelang dies erst im zweiten Wahlgang mit 62 % der Stimmen, im Jahr 2002 dagegen schon im ersten Durchlauf mit 61 % der Stimmen.

Dass er in beiden Wahlkämpfen der unbestrittene Favorit unter den Kandi-daten war, beruht auf seinem Macht-, Informations- und Erfahrungsvorsprung, den er als exponiertes Mitglied der kommunalen Verwaltungselite gegenüber seinen Mitbewerbern hatte.[199] Außerdem griff Jurij Savenko während des Wahlkampfes auf sogenannte »administrative Ressourcen« zurück, die eine

---

197   Rechenschaftsbericht des Bürgermeisters für das Jahr 2001 (CD-ROM), S. 1.
198   Merkel et al. 2003, S. 199.
199   Zur Analyse des Wahlkampfs 1998 siehe die Einschätzungen von Syrovatko, Viktor:»Prošli vybory, teper' – vyvody«, in: Kaliningradskaja Pravda, 18.11.1998; Smirnov, Jurij: Okt'jabrskij pas'jans mnenie sociologov: in: Kaliningradskaja Prav-da, 6.10.1998; zum Jahr 2002 siehe Denisenkov, Aleksej: Po gladen'koi dorožke, in: Ékspert Severo-Zapad 33 (94), 2002.

Manipulation des Elektorats erlauben. Durch die Ausnutzung steuerbarer Bevölkerungsgruppen (Rentner, Veteranen, Offiziersschüler und Wehrdienstleistende), das gezielte Anspielen auf die Abhängigkeit der Bevölkerung von Leistungen, die durch die Verwaltung erbracht werden und die Instrumentalisierung von Ängsten und Sicherheitsbedürfnissen gelang Savenko die Unterwanderung eines fairen Wahlkampfes und die Beeinflussung der Wahlergebnisse.

Jurij Savenko war der Bevölkerung bereits vor der Wahl im Herbst 1998 bekannt. Seit 1996 hatte er als erster Vizebürgermeister Kaliningrads umfangreiche Kenntnisse in der Verwaltungsarbeit sammeln können. Seit März 1998 übte er das Amt des Bürgermeisters kommissarisch aus. Die Tatsache, dass er über ein halbes Jahr lang vor der Wahl dieses Amt bereits innehatte, brachte ihm Vorteile. Savenko hatte alle führenden Mitarbeiter des Bürgermeisteramtes hinter sich, denn es war zu befürchten, dass der neue Amtsinhaber die höheren städtischen Beamten austauschen würde, wenn sie sich ihm gegenüber nicht loyal verhielten.[200] Savenko konnte Wahlkampf an Orten führen, zu denen anderen der Zutritt verwehrt war wie z.B. in Militärinstituten und Kasernen.[201] Außerdem ist es ihm gelungen, gute Kontakte zu den Rentner- und Veteranenverbänden aufzubauen. Ihre politische Unterstützung si-

---

200   Siehe Smirnov, Jurij: Okt'jabrskij pas'jans mnenie sociologov, in: Kaliningradskaja Pravda, 6.10.1998. Die Analyse stützt sich zum Teil auf repräsentative Umfrageergebnisse.

201   An der Wahl nahmen nur 12 % der Jungwähler bis 25 Jahre teil, und unter den 12 % war ein beträchtlicher Teil von Wehrdienstleistenden und Studenten der Militärakademien, die auf Anordnung wählen gegangen sind. Siehe Syrovatko, Viktor: »Prošli vybory, teper' – vyvody«, in: Kaliningradskaja Pravda, 18.11.1998. Die Praxis, Studenten von Militärakademien als Wählergruppen zu instrumentalisieren, ist auch von Stadträten angewandt worden: In einer Nachwahl zum Stadtrat 1998 konnte sich V. Timofeev im Wahlkampf gegen einen Vertreter der liberalen Jabloko-Partei durchsetzen, weil in zwei der insgesamt sechs Wahllokale unverhältnismäßig viele Schüler des Baltischen Militär- und Marineinstituts an den Wahlen teilnahmen, siehe: Slepukurov, D.: Kaliningradskaja oblast' w marte 1999 goda, in: Meždunarodnyj institut gumanitarno-političeskich issledovanij: vypuski političeskich issledovanij, http://www.igpi.ru/monitoring/1047645476/1999/0399/39.html (zuletzt geöffnet am 12.2.2005).

cherte Savenko Einflussmöglichkeiten auf einen der regimetreusten Teile der Bevölkerung.[202]

Savenko führte eine aufwändige Wahlkampagne, die mithilfe Petersburger Strategen ausgearbeitet worden war.[203] Ihr lag eine konsequente Strategie, aber kein ausgearbeitetes Wahlprogramm zugrunde, das durch den populistischen Slogan »Zeit der konkreten Taten« ersetzt worden war. Während öffentlicher Auftritte und in »Propagandamaterialien« appellierte Savenko bewusst an die weitverbreitete Überzeugung vieler Bürger, dass die Geschicke der Stadt zuallererst von den charakterlichen Qualitäten des Bürgermeisters abhängig sind.[204] Er präsentierte sich als einen tatkräftigen und durchsetzungsfähigen Verwaltungsfachmann, der zudem genaue Detailkenntnisse in allen Fragen der Wohnungswirtschaft hat, jenem Bereich also, der die meisten Auswirkungen auf das alltägliche Leben der Bürger hat.[205] Die Manipulierbarkeit der Bevölkerung resultiert auch aus der Tatsache, dass ein Drittel entweder Lohn (Lehrerschaft, medizinisches Personal, Mitarbeiter der kommunalen Einrichtungen etc.), Rente oder Sozialbeihilfe von der Kommune erhält, oder als Mieter öffentlichen Wohnraumes gegenüber der Stadt Zahlungsverpflichtungen hat.[206]

Auf der anderen Seite war in der städtischen Bevölkerung das Desinteresse an der Politik gewachsen und der Vertrauensverlust in die politischen Institutionen fortgeschritten – ein Umstand, der vor allem Savenkos liberale Gegner

---

202   Syrovatko, Viktor: »Prošli vybory, teper' – vyvody«, in: Kaliningradskaja Pravda, 18.11.1998.

203   Ebenda.

204   Siehe Smirnov, Jurij: Okt'jabrskij pas'jans mnenie sociologov, in: Kaliningradskaja Pravda, 6.10.1998: Etwa ein Drittel der Bevölkerung, vor allem die Älteren, äußerte in einer repräsentativen Meinungsumfrage Sehnsucht nach einem persönlich integeren Stadtoberhaupt, einem »väterlichen Fürsprecher« (otec-zastupnik rodnoj), der als positives Gegenbeispiel zu Präsident El'cin und zum Gouverneur Leonid Gorbenko wirklich Verantwortung für die Bevölkerung übernimmt. Das Ansehen Boris El'cins war nach der Finanzkrise vom August 1998 auf einem Tiefstand angekommen. Der Gouverneur Leonid Gorbenko hatte nach einer Reihe von politischen Fehlschlägen und Skandalen ebenfalls alle Sympathien verloren.

205   Syrovatko, Viktor: »Prošli vybory, teper' – vyvody«, in: Kaliningradskaja Pravda, 18.11.1998.

206   Ebenda.

traf, denen es nicht im nötigen Umfang gelang, Wähler zu mobilisieren. So kommt der liberale Stadtrat Syrovatko zu folgendem Resümee:

»Im Alltag sind die Menschen von der Politik isoliert [...], nehmen ihren eigenen Wert nicht wahr, sehen keine positiven Ergebnisse der vorangegangenen Wahlen und verlieren deshalb das Interesse, sich an der Lenkung des Staates zu beteiligen.«[207]

Während es sich beim Wahlkampf 1998 noch um einen echten politischen Konkurrenzkampf handelte, war Beobachtern zufolge der Wahlkampf 2002 der »langweiligste der letzten zehn Jahre.«[208] »Selbst vereinzelte Plakate mit Wahlkampfpropaganda waren in der Stadt äußerst selten [zu sehen, T.B.]«.[209]

Der Bürgermeister verfügte in diesem Jahr über starken politischen Beistand. Der Vorsitzende des obersten Parteirates der Präsidentenpartei »Edinaja Rossija« – Aleksandr Bespalov – informierte die Öffentlichkeit über die Unterstützung seiner Partei für die Kandidatur Savenkos als Gegenleistung für dessen freiwilligen Rücktritt von der Gouverneurswahl.[210] Außerdem hatte Savenko die Kommunistische Partei in Kaliningrad und den Kaliningrader Sovet der Veteranen, der die zahlreichen Veteranenorganisationen in der Stadt vertritt, hinter sich.[211]

Der fehlende Wettbewerb in der Wahlkampfphase wurde noch vor der Wahl von einem Beobachter damit erklärt, dass es sich bei der Wahl nicht um konkurrierende Entwürfe für die Stadtpolitik handelte, sondern um einen Macht-

---

207 Ebenda.
208 N.N.: Kaliningrad pereizbral mèra, in: Kommersant', 8.10.2002.
209 Ebenda.
210 Siehe Denisenkov, Aleksej: Po gladen'koi dorožke, in: Ėkspert Severo-Zapad 33 (94), 9.9.2002.
211 »Die Mitglieder des Plenums [des Kaliningrader Stadtsowjets der Veteranen, T.B.] kamen zu der Ansicht, dass der Bürgermeister Kaliningrads an erster Stelle ein aufrichtiger Patriot seiner Stadt muss, der seine Arbeitserfahrung in die Strukturen der Macht einbringt. [...] Deshalb [...] empfehlen wir Jurij Savenko.«, siehe Kaliningradskaja Pravda, 3.10.2002. Der Sowjet der Veteranen ist in der Stadt eine einflussreiche Institution. Er vertritt u.a. die Veteranenverbände des Großen Vaterländischen Krieges und der lokalen Kriege (Afghanistan, Tschetschenien), die Veteranen der Arbeit und die Veteranen der Streitkräfte und der Sicherheitsorgane. Zum Einfluss der Veteranenorganisationen auf die Stadtverwaltung siehe Čagin, Pëtr: Ne starejut duchoi veteranov, in: Jantarnyj Kraj, 7.7.2004.

kampf konkurrierender politischer Gruppierungen, dessen Ausgang durch die Stärke des konsolidierten Bürgermeisterlagers bereits im Vorhinein feststand:[212] Es begann »eine weitere Runde des politischen Spiels mit dem bereits vertrauten, bekannten Ausgang.«[213]

Fazit

Die niedrige Wahlbeteiligung und die zunehmend inkompetitiven Wahlen[214] in Kaliningrad zeigen, dass das Wahlregime die kommunale Verwaltung nur schwach an die Bevölkerung bindet. Damit ist das demokratische Legitimationsverfahren gefährdet. Dieser Eindruck wird dadurch bestätigt, dass der Bürgermeister sein Amt allein aufgrund seiner Macht- und Einflussressourcen (administrativnye resursy) ohne entsprechenden gesellschaftlichen Rückhalt ausübt. Man kann insgesamt zu dem Fazit kommen, dass Savenko zwar durch Wahlen legitimiert wurde, sein Vorsprung jedoch aufgrund administrativer Ressourcen zustande kam und er seine Herrschaftsposition aufgrund der Empfänglichkeit der Bevölkerung für populistische Appelle sichert. Der Wahlkampf fand vor dem Hintergrund einer erschöpften Wählerschaft statt, die sich zum Teil von der Politik abgewandt hatte. Im Wahlkampf gelang es Savenko zu vermitteln, dass er es vermag, für die Bevölkerung Verantwortung zu übernehmen, indem er die Vorteile der Kontinuität der Amtsführung, sein Fachwissen und persönliches Durchsetzungsvermögen wirkungsvoll inszenierte. Er griff damit auf ein nicht-demokratisches, paternalistisches und konservatives Legitimationsmuster zurück, das die Bevölkerung ihrer aktiven politischen Rolle enthebt.

Es wäre jedoch zu kurz gegriffen, wollte man das starke Machtstreben des Bürgermeisters allein auf dessen persönliche Machtgier zurückführen. Vielmehr ist dieses Streben durch die Funktionslogik des politischen Systems bedingt. Tatsächlich zeichnen sich wirtschaftspolitisch erfolgreiche und be-

---

212   Denisenkov, Aleksej: Po gladen'koi dorožke, in: Ėkspert Severo-Zapad 33 (94), 2002.

213   Ebenda.

214   Aufgrund der fehlenden Möglichkeiten, offene Kritik an den Verhältnissen zu üben, spielen Ironie und Satire wieder eine große Rolle. So erschien während des Bürgermeisterwahlkampfes 2002 in der Kaliningrader Pravda ein Artikel, der die Kandidatur eines Nachfahren von Baron Münchhausen aus Deutschland für das Amt des Kaliningrader Bürgermeisters ankündigte.

liebte Bürgermeister und Gouverneure in Russland heute oft durch einen harten Führungsstil und eine straffe, kontrollierte Verwaltung aus.[215] Außerdem ist hervorzuheben, dass der Führungsanspruch Savenkos nicht so weit geht, dass er die Stadtsatzung infrage stellt oder sie gar bei Gelegenheit außer Kraft setzten würde. Darüber hinaus ist die Akzeptanz der kommunalen Politik innerhalb der Bevölkerung relativ hoch, was u.a. darauf zurückzuführen ist, dass in der Kaliningrader Stadtverwaltung im Unterschied zur Gebietsverwaltung keine großen Korruptionsskandale vorgekommen sind und der Bürgermeister den Ruf hat, tatsächlich für die Stadt zu arbeiten und nicht im Dienst regionaler Clans zu stehen. Außerdem ist zu bemerken, dass der Bürgermeister nicht auf die Strategien einer offen nationalistischen oder etatistisch-patriotischen Politik zurückgreift. So gesehen vertritt Savenko im Vergleich zu anderen Abgeordneten des Stadtrates, die eine nationalistische Bildungs- und eine autoritäre Sicherheitspolitik betreiben, eine geradezu liberale Position.

4.2 Der Stadtrat

Das kommunale Vertretungsorgan ist de jure das eigentliche Herz der kommunalen Demokratie. Der Stadtrat beschließt die allgemeinverbindlichen Regeln, welche die Arbeit der Kommunalorgane, das Verhältnis zwischen Verwaltung und Bürgerschaft und die Ausrichtung der kommunalen Politik festlegen. Außerdem bestätigt der Stadtrat das Budget und überwacht die sachgemäße Ausführung des Haushaltes. Als Vertretungsorgan ist es seine Aufgabe, die Interessenvielfalt der städtischen Bevölkerung zu repräsentieren und die Tätigkeit des Bürgermeisteramtes und seines Leiters zu kontrollieren.[216]

---

215 Zu vergleichenden Fallstudien siehe Harter, Stefanie; Grävingholt, Jörn; Pleines, Heiko; Schröder, Hans-Henning (Hg.): Geschäfte mit der Macht. Wirtschaftseliten als politische Akteure im Russland der Transformationsphase 1992-2001, Bremen 2003, S. 229-270.

216 Dem Stadtrat, dem kommunale Vertretungsorgan, gehören gemäß der Stadtsatzung 19 Abgeordnete an. Sie werden in Einpersonenwahlkreisen nach dem einfachen Mehrheitsprinzip gewählt und arbeiten hauptberuflich. Der Vorsitzende des Stadtrates wird aus der Mitte der Abgeordneten gewählt. Es gibt acht ständige

De facto ist es dem Kaliningrader Stadtrat seit dem Amtsantritt Jurij Savenkos (Beginn der Konsolidierungsphase) jedoch weder gelungen, seine Repräsentations- noch seine Kontrollfunktion in dem Maße wahrzunehmen, wie es die Stadtsatzung vorsieht. Dass sich der Stadtrat gegen die Vereinnahmung durch Savenko nicht wehren konnte, ist zum einen auf die Loyalität der Abgeordneten gegenüber dem Bürgermeister und zum anderen auf die strukturelle Schwäche zurückzuführen, die sich aus seiner Zusammensetzung ergibt.

Die Entmachtung des Stadtrates durch den Bürgermeister
Mit dem Amtsantritt Savenkos begann eine Auseinandersetzung mit dem Stadtrat in der Frage, wer das letzte Wort in der Stadt hat. Die neue Stadtsatzung, die während der legalen Revolution erstritten wurde, ist am 11.11.1998 – dem Tag des Amtsantritts Savenkos – in Kraft getreten. Der Bürgermeister verlor damit das Recht, Beschlüsse des Stadtrates durch seine Unterschrift zu bestätigen (siehe legale Revolution). Dahinter stand der Anspruch des Stadtrates unter Jurij Bogomolov, stärker auf die kommunale Politik Einfluss zu nehmen. Da Savenko nicht bereit war, seine Macht in der Stadt zu teilen, begann mit dem Tag seiner Amtseinführung eine heftige politische Auseinandersetzung mit dem Stadtrat, die mit dem Sieg des Bürgermeisters endete. Seine Herrschaftsposition war jedoch erst nach den Wahlen des Stadtrates vom 4. März 2001 gesichert, da der neue Stadtrat Savenko gegenüber loyal war.

Die Auseinandersetzung wurde durch den Stadtrat eröffnet, der am 11.11.1998 beschlossen hatte, die Löhne eines Teils der kommunalen Ange-

---

Kommissionen des Stadtrates, die zweimal im Monat tagen:
Kommission für Budget-, Finanz- und Steuerfragen
Kommission für Wirtschaftspolitik und kommunales Eigentum
Kommission für Sozialpolitik
Kommission für Stadtregulierung, Grund- und Bodennutzung und Umweltschutz
Kommission für örtliche Selbstverwaltung und öffentliche Sicherheit
Kommission für Geschäftsordnung, Organisation und Analyse
Kommission für Grundeigentum und Reklame
Kommission für kommunale Wohnungswirtschaft
Die Kommissionsvorsitzenden sind gemeinsam mit dem Stadtratsvorsitzenden die einflussreichsten Abgeordneten.

stellten, u.a. der Lehrer, um monatlich 100 Rubel zu erhöhen. Diese Entscheidung war nicht mit dem Bürgermeister abgestimmt und wurde außerdem getroffen, ohne dass die Mittel im Budget dafür vorhanden waren.[217] Der Beschluss brachte den Bürgermeister in eine schwierige Situation, denn er konnte die Entscheidung aufgrund der Stimmung in der Bevölkerung nicht rückgängig machen. Der Bürgermeister reagierte daraufhin mit einer Kampfansage und der offenen Diskreditierung der Absichten des Stadtrates. Er griff dabei auf Ressentiments in der Bevölkerung zurück, wonach die Stadträte Diäten empfangen, ohne etwas dafür zu tun. Das Vorgehen des Bürgermeisters veranschaulicht ein Artikel der Pressereferentin Savenkos in der wichtigsten Tageszeitung Kaliningrads, der am 20. November 1998 erschien. Dort heißt es, dass Savenko gegenüber dem Stadtrat »sehr hart seinen Anspruch auf die Rolle des Herrn in der Stadt« (Chozjain v gorode) deutlich gemacht habe.[218] Er würde sich mit allen Mitteln gegen Versuche des Stadtrates wehren, seine Vollmachten zu beschneiden und ihm die Rolle einer repräsentativen »Kaliningrader Königin«[219] zuzuweisen, obschon er zum Wohle der Stadt insgesamt an guten Beziehungen zum Stadtrat interessiert wäre.

Ein weiterer taktischer Sieg Savenkos war der Ausschluss eines seiner wichtigsten politischen Opponenten aus dem Stadtparlament – des Stadtrats Viktor Syrovatko. Syrovatko war als Vorsitzender des Ausschusses für Wirtschaftspolitik und kommunales Eigentum einer der wichtigsten Befürworter eines starken, unabhängigen Stadtrates gewesen. Er hatte sich dabei als liberaler Politiker in der Stadt profiliert und sich für die Demokratisierung der kommunalen Politik eingesetzt. Außerdem war er im Bürgermeisterwahlkampf gegen Savenko angetreten, hatte seine Kandidatur aber kurz vor den Wahlen zugunsten des aussichtsreicheren Herausforderers Savenkos – des Unternehmers Anatolij Chlopeckij – zurückgezogen. Der formale Grund für den Ausschluss des Abgeordneten war ein Urteil eines Kaliningrader Gerichtes vom Januar 1998. Viktor Syrovatko hatte dem Gouverneur der Oblast' Leonid Gorbenko kriminelle Handlungen unterstellt und war infolge einer Ge-

---

217   Nagornych, Elena: Stoit li podnimat' perčatku?, in: Kaliningradskaja Pravda, 20.11.1998.
218   Ebenda.
219   Ebenda.

genklage des Gouverneurs wegen persönlicher Verleumdung zu 18 Monaten Haft auf Bewährung verurteilt worden.[220] Am 5. Mai 1998 entschied das Gericht, Syrovatko das Mandat im Stadtrat zu entziehen. Syrovatko legte sein Deputat jedoch erst aufgrund eines Stadtratsbeschlusses im Dezember 1998 nieder.[221] Von übrigen den 18 Abgeordneten stimmten elf für die Aberkennung des Mandats, vier dagegen und drei enthielten sich der Stimme.[222] Als Grundlage für den Entschluss diente ein Paragraph der Stadtsatzung, der besagt, dass ein Abgeordneter sein Mandat nicht behalten darf, wenn ein rechtskräftiges Urteil gegen ihn vorliegt.

Dass es zu diesem plötzlichen Umschwenken des Stadtrates kam, lässt sich zum einen damit erklären, dass bereits vor der Wahl eine Kräfteverschiebung im Stadtrat zugunsten Savenkos stattgefunden hatte. Der Stadtratsvorsitzende Bogomolov hatte sich mit den Abgeordneten Rudnikov und Syrovatko entzweit, da er dem Bürgermeister vor der Wahl seine Loyalität erklärt hatte.[223] Außerdem wurde Druck auf die Abgeordneten ausgeübt: Der zuständige Kaliningrader Staatsanwalt forderte die Abgeordneten auf, Syrovatko aufgrund der bestehenden Verurteilung zu entlassen. Für den freigewordenen Abgeordnetenplatz wurden für den 28. Februar 1999 Neuwahlen angesetzt, die unter Bedingungen stattfanden, die auf Manipulationen hinweisen. Während Viktor Syrovatko erneut für sein verlorenes Mandat kandidierte, machte das Bürgermeisteramt deutlich, dass es kein Interesse am Sieg eines nichtloyalen Bewerbers habe und eher die Kandidatur eines Vertreters des Baltischen Kriegsmarineinstituts unterstützen würde.[224] In der Wahl gewann tatsächlich V. Timofeev, Lehrstuhlleiter des Baltischen Militärinstituts. Er wurde gewählt, obwohl er sich nur in zwei von sechs Wahllokalen gegen seine Mitbewerber durchsetzen konnte. In diesen Wahllokalen waren massenhaft Offiziersschü-

220   Akimov, Vladimir: Meldung des Nachrichtendienst Vlastnye struktury v regionach. 10.2.1998.
221   Meldung Radio Rossii, Vesti 3.12.1998.
222   Nagornych, Elena: Ruka zakona nastigla deputata, in: Kaliningradskaja Pravda, 4.12.1998.
223   Chronik der Kaliningrader Stadtverwaltung 1998-2000, S. 9, http://www.panorama. ru/works/mery/klg.html (zuletzt geöffnet am 24.2.2007).
224   Nagornych, Elena: Nedolgo kreslo popustuet, in: Kaliningradskaja Pravda, 18.12.1998.

ler des Baltischen Kriegsmarineinstituts erschienen. In den anderen Wahllokalen lag ein Vertreter der Jabloko-Partei an erster Stelle, Syrovatko belegte
hinter ihm den dritten Platz.[225]

Eine weitere Strategie zur Erhöhung des politischen Drucks auf den Stadtrat
waren verschiedene Anläufe zur Revision der Stadtsatzung. Bereits vor der
Bürgermeisterwahl hatte Jurij Savenko versucht, Experten um sich zu scha-
ren, die wie er die Meinung vertraten, die Stadtsatzung entspreche nicht den
Erfordernissen einer effektiven Verwaltungstätigkeit. Dabei spielte er in der
Öffentlichkeit bewusst die plebiszitäre Legitimität eines zentristischen Ver-
waltungsmodells gegen die konstitutionelle Legitimität der geltenden Stadtsatzung aus. Die Hauptargumentation war dabei, dass ein schwacher Bürgermeister, wie ihn die geltende Satzung vorsehe, nicht den Wünschen der
Kaliningrader entspräche, die vielmehr einen Bürgermeister der starken Hand
wollten.[226] Darüber hinaus wurde die Qualität der Stadtsatzung in der Öffentlichkeit infrage gestellt. Das Bürgermeisteramt vertrat dabei die Position, dass
»die Stadtsatzung [...] veraltet [ist] und [...] völligen Unsinn, Lücken und Feh-
ler«[227] enthalte.

Um dem Anspruch der Satzungsrevision Nachdruck zu verleihen, wurde im
März 1999 mit bürgermeistertreuen Stadträten eine Gruppe im Stadtrat gegründet, die Vorschläge für eine Satzungsänderung im Sinne des Bürgermeisters auszuarbeiten begann. Dem Bürgermeister war dabei vor allem daran
gelegen, die bestätigende Unterschrift für Beschlüsse des Stadtrates wieder-
zuerlangen.[228] Der Bürgermeister argumentierte damit, dass »es in Kaliningrad einen Menschen geben sollte, der das Vertrauen der Mehrheit der Bür-

---

225 Siehe Slepukurov, D.: Kaliningradskaja oblast' w marte 1999 goda, in: Mežduna-
     rodnyj institut gumanitarno-političeskich issledovanij: vypuski političeskich issledo-
     vanij, http://www.igpi.ru/monitoring/1047645476/1999/0399/39.html (zuletzt geöff-
     net am 24.2.2007).
226 Siehe Nagornych, Elena: Stoit li podnimat' perčatku?, in: Kaliningradskaja Pravda,
     20.11.1998, siehe auch: Nagornych, Elena: Ustav davno pora latat', in: Kalinin-
     gradskaja Pravda, 19.3.1999 und Nagornych, Elena: Ustav razdora, in: Kalinin-
     gradskaja Pravda, 3.6.1999.
227 Nagornych, Elena: Ustav davno pora latat', in: Kaliningradskaja Pravda,
     19.3.1999.
228 Ebenda.

ger besitzt und alle Verantwortung auf sich nimmt.«[229] Trotz wiederholter Drohungen Savenkos hat eine Revision der Stadtsatzung jedoch nicht stattgefunden, da er sich nicht gegen den Stadtrat durchsetzen konnte. Es deutet sich aber an, dass in der neuen Stadtsatzung, die Kaliningrad ab 2006 im Rahmen der föderalen Kommunalverwaltungsreform erhalten wird, die Vorrechte der kommunalen Exekutive restauriert werden.

Der Bürgermeister siegte im Juni 1999 über den Stadtrat in der Frage, wer das letzte Wort in der Stadt hat. Die Stadträte hatten zuvor in einer Sitzung beschlossen, die Kompetenzen des Bürgermeisters weiter zu beschneiden und ihm das Recht zu entziehen, kommunales Eigentum ohne Mitsprache des Stadtparlaments zu verwalten und über seine Verwendung zu bestimmen. Der Bürgermeister legte daraufhin sein Veto ein. Dieses Veto konnte der Stadtrat am 2. Juni aufgrund einer fehlenden Stimme nicht mit der nötigen einfachen Mehrheit zurückweisen.

Das Scheitern des Stadtrates in dieser Entscheidung wurde in der Öffentlichkeit als ein Präzedenzfall behandelt, der als Exempel für das zukünftige Verhältnis zwischen kommunaler Exekutive und Legislative stand.[230] Ein Ausdruck hierfür war die Stellungnahme der Redaktion der einflussreichen und als neutral betrachteten Kaliningradskaja Pravda, die dazu aufforderte, den Konflikt beizulegen und kooperativ zusammenzuarbeiten – gemeint war damit jedoch eine geschlossene Unterstützung der Partei des Bürgermeisters.[231]

Die Stadtratswahlen
Die Stadtratswahlen vom 4. März 2001 führten zu einem völlig neuen Kräfteverhältnis im Stadtrat. Sieger der Wahl war die Kommunistische Partei, die nun sechs Abgeordnete stellte und damit die größte Fraktion im Stadtrat bil-

---

229   Siehe Nagornych, Elena: Ustav davno pora latat', in: Kaliningradskaja Pravda, 19.3.1999.

230   Aus der Sicht der Stadt siehe Nagornych, Elena: Ustav razdora, in: Kaliningradskaja Pravda, 3.6.1999; siehe außerdem Sazonov, Vladimir, Volnoj vyneslo mèra, in: Kaskad, 3.6.1999.

231   Siehe ebenfalls Nagornych, Elena: Ustav davno pora latat', in: Kaliningradskaja Pravda, 19.3.1999.

dete.[232] Der neue Stadtratspräsident Evgenij Gan, der seit 1994 Abgeordneter war, gehörte ebenfalls zu dieser Fraktion. Ebenso wie der Bürgermeister ist er ehemaliger Berufsoffizier. Der Erfolg der KPFR wurde darauf zurückgeführt, dass die Partei aufgrund ihres guten Organisationsgrades von der sehr geringen Wahlbeteiligung überdurchschnittlich profitierte.[233] Außerdem waren im neuen Stadtrat zwei Unternehmer vertreten. Einer der beiden, Aleksandr Jarošuk, ist Besitzer der umsatzstarken Ladenkette »Baucentr« und Vertreter des aufstrebenden Großhandelssektors der Kaliningrader Wirtschaft. Für Verwunderung sorgte, dass der vormalige Stadtratsvorsitzende Jurij Bogomolov sich in seinem Wahlkreis nicht gegen eine Kommunistin durchsetzen konnte. Auch der Redakteur der Zeitschrift »Novye Kolesa«, der zu den wichtigen politischen Gegnern des Bürgermeisters zählte, war nicht mehr im neuen Stadtrat vertreten.

Obwohl einige Kandidaten, die durch den Bürgermeister unterstützt wurden, den Einzug in den Stadtrat nicht schafften,[234] zeigte Savenko sich zufrieden über dessen Zusammensetzung, da er auf die Loyalität die städtischen KPRF setzen konnte.[235] Tatsächlich unterstützten die Kommunisten Savenko ein Jahr später bei der Bürgermeisterwahl im Oktober 2002.[236]

Auch vonseiten der Unternehmer[237] hatte der Bürgermeister nicht zu befürchten, dass sie den Stadtrat benutzen würden, um eine alternative politische Linie zu entwerfen, da sie ihre Interessen eher auf informellem Wege vorbringen. Jarošuk gilt als Vertreter des sich rapide entwickelten Großhandels, der sich in der Hand einiger junger Unternehmer befindet. Diese stützen sich auf die Stadtverwaltung, da der Bürgermeister ihnen gegenüber zugänglicher ist als der Gouverneur. Ihr Interesse an Protektion besteht vor allem deshalb, weil es in Russland nicht möglich ist, ein Unternehmen zu führen,

---

232   N.N.: Šest' kommunistov, dva magnata i ostal'nye deputaty, in: Kaliningradskaja Pravda, 6.3.2001.
233   Siehe N.N.: Vybral? Svoboden!, in: Jantarnyj Kraj, 7.3.2001.
234   Ebenda.
235   Siehe Mulkachajnen, A.: Jurij Savenko: »Ljudi vybrali tech, kogo vybrali«, in: Moskovskij Komsomolec v Kaliningrade, 15.3.2001.
236   Siehe: Levčenko, Michail: Kaliningradskij uzel, in: Pravda, 23.8.2002.
237   Mulkachajnen, A.: »Ljudi vbrali tech, kogo vybrali«, in: Moskovskij Komsomolez v Kaliningrade, 15.3.2001.

ohne gute persönliche Kontakte zur Verwaltung zu besitzen. Außerdem entscheidet die Kommune über die Vergabe von Grundstücken in der Stadt, die für die Unternehmer zu den profitabelsten Ressourcen zählen. Jarošuk und der Unternehmer Nikolaj Vlasenko (Firma »Viktoria«) waren die Hauptsponsoren der Wahlkampfkampagne Savenkos im Herbst 2002.[238] Als Gegenleistung unterstützte das Bürgermeisteramt Beobachtern zufolge die Unternehmer dabei, potenzielle Konkurrenten abzuwehren, die aus den russischen Metropolen nach Kaliningrad drängten.[239]

Zusammenfassend ist zu sagen, dass das Verhältnis zwischen dem neuen Stadtrat und dem Bürgermeister nach der Wahl im Jahre 2001 nicht mehr von Konflikten, sondern von beiderseitiger Kooperation geprägt war.[240] Diese Kooperation basierte auf verschiedenen Faktoren. Zentral für das gute Verhältnis ist die Tatsache, dass die Stadträte den Bürgermeister, wie er es verlangt, als letztentscheidende politische Instanz in der Stadt anerkennen. Diese Anerkennung hat verschiedene Ursachen: Zum einen besteht Loyalität gegenüber dem Bürgermeister und seinem Führungsstil aufgrund politischer Überzeugungen bzw. persönlicher Interessen bei einem Großteil der Parlamentarier. Hinzu kommt außerdem die starke Abhängigkeit vieler Abgeordneter von der kommunalen Verwaltung,[241] da etliche von ihnen Vertreter der »Budgetsphäre«, d.h. kommunale Angestellte sind. Auf der anderen Seite steht die Bereitschaft des Bürgermeisters, die Interessen der Abgeordneten zu berücksichtigen und ihnen eigenständige Tätigkeitsbereiche zuzugestehen. Ausdruck dieses stillschweigenden Kompromisses zwischen Stadtrat und Bür-

---

238   Siehe die Analyse von Krom, Elena: Drejfujuščij ostrov, in: Jantarnyj Kraj, 11.11.2003

239   Ebenda.

240   Zur Sicht der Kommunisten siehe Levčenko, Michail: Kaliningradskij uzel, in: Kaliningradskaja Pravda, 23.8.2002; aus der Sicht des Stadtratsvorsitzenden siehe u.a. Černyševa, Galina: Evgenij Gan, in: Graždanin, 10.7.2003. Aus der Sicht des Bürgermeisters siehe die Rechenschaftsberichte des Bürgermeisters für das Jahr 2003: »An dieser Stelle ist vor allem der konstruktive Dialog, der zwischen Bürgermeisteramt und Stadtrat vorherrscht, hervorzuheben. Er trägt ebenfalls zu einer Konsolidierung unserer städtischen Gemeinschaft bei.« Rechenschaftsbericht des Bürgermeisters für das Jahr 2003, Kaliningrad (CD-ROM), Kap. III, S. 6f.

241   Lankina hat darauf hingewiesen, dass »councel deputies are subject to formal and informal lines of accountability to the executive«, siehe Lankina 2001, S. 405.

germeister ist die sogenannte »soziale Ausrichtung des [kommunalen T.B.] Budgets«.[242]

Die Vertreter der »Budgetsphäre«

Zu den 18 Abgeordneten des neuen Stadtrates zählen sieben Frauen und elf Männer.[243] Von den elf Männern haben fünf eine Offizierslaufbahn absolviert, davon zwei als Berufssoldaten. Einer der Abgeordneten – Jurij Šitikov – hat hauptamtlich für den KGB gearbeitet.[244] Unter den Abgeordneten dominieren kommunale Angestellte.[245] Die Vertreter der Budgetsphäre, wie sie bezeichnet werden, stellen zwei Drittel der Stadträte. Drei Schuldirektoren, eine Musikschuldirektorin, drei Lehrer, drei Ärzte, davon zwei Oberärzte,[246] und ein Kulturfunktionär sind hier zu nennen.[247] Außerdem gehören dem Stadtrat – wie bereits erwähnt – zwei Unternehmer an. Die anderen Stadträte gelten als unabhängig.

Die Dominanz von kommunalen Angestellten im Stadtrat stärkt die Position des Bürgermeisters, denn die Angestellten sind von der Stadtverwaltung ab-

---

242   Siehe u.a. das Interview mit Aleksandr Jarošuk, Stadtrat, Unternehmer und Vorsitzender des städtischen »Edinaja Rossija«: »Wir haben ein sozial ausgerichtetes Budget: zum großen Teil arbeitet der Stadtrat für dessen Ausführung. Die Abgeordneten wissen, wo in der Stadt welche Situation herrscht und treffen die entsprechenden Entscheidungen.« Ardyševa, Lidija: »Každyj dolžen zanimat'sja svoim delom. No-chorošo«, in: Kaliningradskaja Prava, 10.7.2003. In den öffentlichen Rechenschaftsberichten des Bürgermeisters finden sich gleichlautende Zitate: »Schon das dritte Jahr übertreffen die Ausgaben für die soziale Sphäre den zweitwichtigsten Posten der Budgetausgaben – die Aufwendungen für die kommunale Wohnungswirtschaft.« Rechenschaftsbericht des Bürgermeisters für das Jahr 2003, Kaliningrad (CD-ROM), Kap. I, S. 12; siehe dort auch S. 10: »Um die gesteckten Ziele zu erreichen, wurden bereits in der Phase der Budgetformierung Prioritäten bestimmt. Und die wichtigste von ihnen ist die soziale Sphäre, die [...] planmäßig finanziert wurde.«

243   Der relativ hohe Frauenanteil ist ein Hinweis auf die generelle Prestige- und Machtlosigkeit des Stadtrates, denn mächtige Positionen und Institutionen sind in Russland fast ausschließlich von Männern besetzt.

244   Siehe Rožkov, Konstantin: Obuzdanie pressy, in: Kaliningradskaja Večerka, 5.9.2003.

245   Auf die Dominanz kommunaler Angestellter in den Kommunalparlamenten und die daraus entstehenden Probleme weist auch Lankina 2001, S. 406f., hin.

246   Darunter die Oberärztin des Gesundheitsministeriums der Oblast'.

247   Angaben nach der Website des Kaliningrader Stadtrates: http://www.gorsovet. kaliningrad.ru (zuletzt geöffnet am 25.3.2005).

hängig, da sie neben ihrem Mandat in einem Beschäftigungsverhältnis mit der Stadt stehen. Außerdem werden Schuldirektoren direkt und Krankenhausdirektoren indirekt durch die Stadtverwaltung bzw. durch die Gebietsadministration ernannt.

Die »Sozialorientierung« des Stadtrates

Die Stadträte, die in der Budgetsphäre arbeiten, vertreten vor allem die Interessen ihrer Herkunftsinstitutionen und der entsprechenden Berufsgruppen. Dabei entsteht der Eindruck, dass der Stadtrat vor allem dazu dient, den Mittelfluss zwischen den Polen kommunale Exekutive und Legislative und den zahlreichen kommunalen Einrichtungen zu koordinieren.[248] Für den neuen Stadtrat gilt deshalb die Einschätzung, die Konstantin Orlov bereits bezüglich des vorhergehenden Stadtrates getroffen hat:

> »Die Volksabgeordneten [sind, T.B.] (wie man sieht, auch aufgrund des eigenen sozialen Status) mehr um die Ausgabenseite besorgt, als darum, woher die Mittel stammen und deshalb ist das Stadtbudget wahrscheinlich offen sozial orientiert, alle Sozialgesetzgebung wird mit einem Hurra verabschiedet, aber der Plan für die sozial-ökonomische Entwicklung Kaliningrads hat Probleme mit der Finanzierung.«[249]

Um die Lobbyarbeit kommunaler Angestellter im Kaliningrader Stadtrat zu illustrieren, soll ein kurzer Auszug aus einem Interview mit der Ärztin Tat'jana Pankratova zitiert werden, das durch den Pressedienst des Stadtrates veröffentlicht wurde:

> »Von Beruf bin ich Arzt. [...] Deshalb halte [...] ich es für das Wichtigste [...], bei der Lösung« von Problemen in Bezug auf den Gesundheitsschutz der Bürger beteiligt zu sein. Gerade deswegen gehöre ich der Stadtratskommission für Sozialpolitik an [und kann] [...] mit Stolz berichten, dass die Kommission [...] im vergangenen Jahr solche wichtigen Beschlüsse ausgearbeitet hat wie die Satzung ›Über die Ordnung

---

248   Die Vorsitzende der Stadtratskommission für Kommunale Selbstverwaltung schreibt, dass sich »Interessen der kommunalen Angestellten in Bezug auf die Lösung ihrer Probleme [...] am stärksten mit denen der [kommunalen, T.B.] Exekutive und Legislative« überkreuzen. Siehe N.N.: Točku v obsuždenii stavit' rano, in: Kaliningradskaja Pravda, 27.5.2004.

249   Orlov, Konstantin: Demokratija s kaliningradskom licom, in: Ekspert Severo-Zapad 3 (32), 19.2.2001.

der Auszahlung von materieller Hilfe im Urlaubsfall für die Mitarbeiter kommunaler Einrichtungen des Gesundheitswesens der Stadt Kaliningrad‹, die Satzung ›Über die zusätzliche Versicherung für Teams der Schnellen Medizinischen Hilfe, Ärzten und Krankenschwestern für den Fall von Berufsunfällen‹ und die Satzung ›Über Zuschläge für die Einsatzteams der städtischen Schnellen Medizinischen Hilfe aufgrund besonderer Arbeitsanforderungen‹. Diese drei Dokumente erlauben es, die soziale Absicherung des medizinischen Personals unserer Stadt zu stärken und den Personalbestand an Spezialisten im Bereich des Gesundheitswesens auszuweiten.« [250]

Es wird deutlich, dass die Stadträtin nicht für das Recht der Bevölkerung auf eine zufriedenstellende Gesundheitsfürsorge eintritt, sondern für die Verbesserung der Arbeitsbedingungen des medizinischen Personals. Sie übernimmt damit eine Koordinationsfunktion zwischen städtischer Verwaltung und öffentlicher Einrichtung, die eigentlich durch die Administration erfüllt werden müsste.

Gleichzeitig ist zu beachten, dass die Löhne des medizinischen Personals so niedrig sind, dass es einen großen Mangel an Krankenschwestern und vor allem an Ärzten gibt.[251] Insgesamt sind die in den Gesundheitsbereich transferierten Mittel so gering, dass damit nur eine Grundversorgung sichergestellt werden kann. Der Unterhalt der Gebäude und die Existenz eines minimalen Personalbestands werden gesichert, während das Geld für die Bereitstellung einer flächendeckenden Gesundheitsfürsorge fehlt. Sogar der Selbsteinschätzung der Stadtverwaltung zufolge sind bei der Reform des Gesundheitssektors und bei der Gewährleistung einer guten medizinischen Versorgung keine Fortschritte erzielt worden.[252]

---

250   Siehe Nachrichtenarchiv des Kaliningrader Stadtrates: Pankratova, Tat'jana: V Gorodskom sovete deputatov, 17.4.2002, http://www.gorsovet.kaliningrad.ru (zuletzt geöffnet am 25.3.2005).

251   Rechenschaftsbericht des Bürgermeisters für das Jahr 2003, Kaliningrad (CD-ROM), Kap. I, S. 13.

252   Dieser Zustand, wie er hier für den Bereich des Gesundheitswesens geschildert wurde, ist in verschiedenen Ausprägungen typisch für alle großen Bereiche der Kaliningrader Kommunalpolitik – die kommunale Wohnungswirtschaft, die Kommunaldienstleistungen (Gas, Wärme, Wasser, Müllentsorgung etc.), die Bildung und die Sozialfürsorge.

Neben dem Engagement der Stadträte, die Auszahlung der (niedrigen) Gehälter kommunaler Angestellter aufrechtzuerhalten, setzen sich die Abgeordneten auch für die Beibehaltung der niedrigen Tarife für kommunale Dienstleistungen und den Erhalt und die Auszahlung von sozialen Ermäßigungen für die zahlreichen empfangsberechtigten Gruppen ein. Zu den Privilegierten zählen neben Rentnern und Veteranen verschiedener Kategorien auch die öffentlichen Angestellten, die nur 50 % der kommunalen Gebühren (Wohnungsverwaltungsgebühren, Strom, Heizung, Telefon) bezahlen müssen.[253]

Das Ergebnis dieser Konstellation ist eine konservative Sozialpolitik, die stärker an der Stabilisierung des Status quo als an einer Modernisierung der Sozialbeziehungen interessiert ist, wie sie für die Initiierung eines nachhaltigen Wachstums notwendig wäre. Die Entstehung eines konservativen Politikstils geht auf die Machterhaltsinteressen der kommunalen Elite (im Besonderen des Bürgermeisters), auf die an Stabilität interessierte Bevölkerung und zu einem gewichtigen Maße auf die föderale und regionale Finanzpolitik zurück, die für die fundamentale Unterfinanzierung der Kommune verantwortlich ist. Das Problem der Unterfinanzierung wird durch die Kaliningrader Stadtverwaltung als Entwicklungshemmnis empfunden: »Das Missverhältnis zwischen den zur Verfügung stehenden Mitteln und den sozialen Verpflichtungen stellt zurzeit eines der grundlegenden Probleme des kommunalen Budgets dar,

---

253   Die Aufgabe des Stadtrates erschöpft sich nicht allein darin, Mittel innerhalb der öffentlichen Sphäre umzuverteilen, er dient gleichzeitig als Diskussion- und Informationsforum der Kommunalpolitiker. Außerdem beschließen die Abgeordneten Satzungen, Entwicklungsprogramme und das Budget der Stadt und sie versuchen trotz sehr knapper Mittel Investitionen für die kommunale Infrastruktur zu tätigen. Die Kontrollfunktion des Stadtrates wird in Teilbereichen tatsächlich wahrgenommen. So legen die Vizebürgermeister und die Direktoren der Kommunalunternehmen regelmäßig Rechenschaft ab. Die Budgetkontrollkommission des Stadtrates führt regelmäßig Überprüfungen in kommunalen Einrichtungen durch, die wiederholt zur Entlassung und Versetzung von Mitarbeitern geführt haben, denen Korruption nachzuweisen war. So wurde 2003 der Direktor des kommunalen Unternehmens »Kommunales Eigentum« durch den Stadtrat von seiner Position beurlaubt. Anlass war, dass die Rechnungskontrollkommission des Stadtrates Unregelmäßigkeiten festgestellt hatte. Das Dezernat für Kommunaleigentum konnte allerdings keinen strafrechtlich relevanten Verstoß ausmachen: Die Person arbeitet jetzt im gleichen Unternehmen als stellvertretender Direktor.

das den ganzen Charakter der sozial-ökonomischen Beziehungen zwischen den kommunalen Behörden und der Bevölkerung bestimmt.«[254]

Während der Stadtrat sich hauptsächlich für die Umverteilung der Budgetmittel innerhalb der kommunalen öffentlichen Sphäre, die Bereitstellung von Sozialvergünstigungen und die Beibehaltung niedriger Tarife für die kommunalen Dienstleistungen einsetzt, ist der Bürgermeister damit beschäftigt, die Budgetinteressen der Kommune gegenüber der Föderation und Region zu verteidigen, die Interessen innerhalb der Kommune auszutarieren und seine eigene Machtstellung zu konsolidieren. Aufgrund dieser Aufgabenverteilung – die im Prinzip durch einen Mangel an Gewaltenteilung gekennzeichnet ist – fehlen der politische Wille und die nötigen Ressourcen, um eine systematische Wirtschaftsförderungspolitik durchzuführen, die städtische Verwaltungsorganisation effektiver zu gestalten und die Qualität des öffentlichen Dienstleistungsangebots zu verbessern.

4.3 Medien

Das kommunale Mediensystem in Kaliningrad kann an dieser Stelle nicht systematisch analysiert werden. Nach dem Eindruck von Birckenbach und Wellmann[255] nimmt die Kaliningrader »Medienlandschaft ihre zivilgesellschaftliche Funktion (noch) kaum wahr«[256], da ihre Unabhängigkeit ungenügend entwickelt ist. Werden einerseits durchaus kritische Beiträge in den lokalen und regionalen Medien veröffentlicht, so ist die journalistische Qualität der Berichterstattung andererseits niedrig und es bestehen starke Abhängigkeiten von den politischen Strukturen:

»Die Zeitungen reproduzieren häufig ungeprüft Verlautbarungen Dritter und sind zudem über die hinter ihnen stehenden Interessen- und Eig-

---

254   Rechenschaftsbericht des Bürgermeisters für das Jahr 2001, Kaliningrad (CD-ROM), S. 20.
255   Birckenbach, Hanne-Margret; Wellmann, Christian: Zivilgesellschaft in Kaliningrad. Explorationsstudie zur Förderung partnerschaftlicher Zusammenarbeit, erstellt im Auftrag des Schleswig-Holsteinischen Landtages, Kiel 2000. Die Autoren merken an, dass die Schlussfolgerungen auf einzelnen Expertengesprächen beruhen und nicht auf einer systematischen Untersuchung des Kaliningrader Mediensystems.
256   Ebenda, S. 36.

nergruppen unmittelbar am politischen Machtkampf, d.h. nicht zuletzt an der Diskreditierung des politischen Gegners, beteiligt.«[257]

Außerdem müssen kritische Journalisten mit Repressionen rechnen.»In vieler Hinsicht müssen die Medien in ihrer aktuellen Verfassung mehr dem politischen System als der Zivilgesellschaft zugerechnet werden.«[258] Silke Schielberg schildert die Presselandschaft im Jahr 2002 folgendermaßen:

> »Insgesamt ist zur Presse in Kaliningrad zu sagen, dass sie sich zwar um Objektivität bemüht, ihr dies aber nicht immer gelingt. Oft sind Artikel schlecht recherchiert und es werden Gerüchte in die Welt gesetzt und Behauptungen aufgestellt, die nicht der Realität entsprechen, aber die Bevölkerung beunruhigen. In der Mehrzahl der Artikel und Interviews wird die offizielle Meinung der Regierung der RF und der Gebietsadministration wiedergegeben. Auch kommt es häufig vor, dass die Artikel nicht von Journalisten geschrieben wurden, sondern von Personen des öffentlichen Lebens, die ihre Interessen lobbyieren. [...] Kritische Stimmen aus der Bevölkerung werden nur sehr selten und dann hauptsächlich in der Kaliningradskaja Pravda veröffentlicht. Oft werden einfach Artikel aus anderen, überregionalen Zeitungen oder Pressemitteilungen von Nachrichtenagenturen abgedruckt, ohne diese journalistisch zu verarbeiten. Dabei ist es meist schwierig, die Quellen zuzuordnen. In den Artikeln selbst ist es zudem häufig schwierig, zwischen Zitat und Kommentar zu unterscheiden bzw. die Zitate den entsprechenden Personen zuzuordnen.«[259]

Die informelle und formelle Kontrolle der Medien ist hoch. Im Juli 2003 führte die Gebietswahlkommission (»Oblizbirkom«) beispielsweise ein Seminar für Journalisten und Redakteure über das korrekte Verhalten während des Wahlkampfes durch. Noch im gleichen Sommer kam eine Delegation aus Moskau mit der gleichen Absicht nach Kaliningrad. Dabei wurde eine umfangreiche Broschüre mit dem Titel »Massenmedien und Wahlen« verteilt.[260] Nach Einschätzung des Kaliningrader Journalisten Konstantin Rožkov war das einzige

---

257   Ebenda.
258   Ebenda.
259   Schielberg, Silke: Abschottung oder EU-Mitgliedschaft? Vorstellungen zur Zukunft der Exklave Kaliningrad im Spiegel der lokalen Presse, SCHIFF-texte Nr. 65, Kiel 2002, S. 6.
260   Siehe Bolyčeva, Ol'ga: Četvertuju vlast' učili byt' korreknoj, Kaliningradskaja Pravda, 15.8.2003.

Ziel dieser Maßnahmen die Belehrung, Dressur und Zähmung der lokalen Medien.[261]

Auf der Ebene der Stadt führt die Schwäche des Mediensystems zu einer partiellen Vereinnahmung durch die Stadtverwaltung. Die Medienpolitik des Bürgermeisters kann an dieser Stelle nicht ausgewertet werden, das Urteil eines Kritikers ist hierzu aufschlussreich: »Man kann von Savenko halten, was man will – er legt eine Show in den Massenmedien hin, die sich sehen lassen kann.«[262]

An der beschriebenen Medienstruktur zeigt sich, dass sie nicht geeignet ist, zur Kontrolle der städtischen Verwaltung einen positiven Beitrag zu leisten. Die Abhängigkeit der Medien von der Politik der föderalen, regionalen und kommunalen Ebene ist zu hoch, als dass sie autonome Interessen der städtischen Bevölkerung reflektieren und wirkungsvoll in der Öffentlichkeit darstellen könnten.

4.4 Zivilgesellschaft

»Die Resultate der Reformen und die Unfähigkeit der Politiker, die Situation zum Besseren zu verändern, rufen im Massenbewusstsein [...] Enttäuschung und Pessimismus bereits gegenüber der Idee von Reform und Demokratisierung hervor.« [263]

Für die Ebene der kommunalen Zivilgesellschaft sollen die Hauptergebnisse einer Studie vorgestellt werden, die im Jahr 2000 im Auftrag des Schleswig-Holsteinischen Landtags erstellt wurde und den Entwicklungsstand der Zivil-

---

261   Rožkov, Konstantin: Obuzdanie pressy, in: Kaliningradskaja Pravda, 5.9.2003.; Jurij Savenko spielt in diesem Disziplinierungsprozess auch eine Rolle, wie das durch den Bürgermeister initiierte Verbot der kritischen Kaliningrader Fernsehsendung »Zwischen den Zeilen« im Jahr 2004 illustriert, siehe Glasnost Defense Foundation's Digest No. 182 (17. Mai 2004) unter: http://www.dgf.ru/digest/digest// digest182e.shtml#rus002 (zuletzt geöffnet am 24.2.2007).

261   Rožkov, Konstantin: Obuzdanie pressy, in: Kaliningradskaja Pravda, 5.9.2003.

262   Ebenda.

263   Syrovatko, Viktor: »Proshli vybory, teper' – vyvody«, in: Kaliningradskaja Pravda, 18.11.1998.

gesellschaft in der Kaliningrader Oblast' zum Thema hat.[264] Die Studie basiert auf Befragungen und Interviews mit Vertretern von 30 NGOs, Expertengesprächen vor Ort sowie schriftlichen Materialen der Organisationen und vermittelt einen Eindruck vom Spektrum organisierter gesellschaftlicher Tätigkeit.[265] Das Ergebnis der Studie ist, dass es eine »breite zivilgesellschaftliche NGO-Szene« [266] in Kaliningrad gibt. In der Stadt existiert eine beträchtliche Zahl einschlägiger Organisationen, die in einem breiten Spektrum gesellschaftspolitisch relevanter Arbeitsgebiete tätig sind.[267] Der Kreis der Organisationen ist sowohl im Hinblick auf ihre Größe, Rechtsform, inhaltliche Betätigungsfelder und Zielsetzungen, als auch hinsichtlich ihrer politischen Orientierung und Loyalität pluralistisch strukturiert.

Das Problem besteht jedoch darin, dass der dritte Sektor nicht über ausreichend große Ressourcen verfügt, um von den Behörden einen Dialog einfordern zu können. Viele Vertreter der Stadt- und Gebietsadministration betrachten zivilgesellschaftliche Organisationen – je nach deren Loyalität – »entweder als Störenfriede oder als brauchbare Instrumente ihrer Politik.«[268] Damit kommt eine Tendenz zum Ausdruck, die als *civil corporatism* bezeichnet werden kann und die typisch für die Ebene der kommunalen Politik zu sein scheint.[269] Diese Form der Zusammenarbeit weist den NGOs die Rolle von »Erfüllungsgehilfen« der Politik zu oder drängt sie ins Abseits.[270]

Ein weiteres Problem der zivilgesellschaftlichen Organisationen besteht darin, in einer Umgebung agieren zu müssen, die politisches Engagement behin-

---

264   Birckenbach; Wellmann 2000.
265   Birckenbach und Wellmann definieren Zivilgesellschaft als »die Gesamtheit jener Akteure[], die zwischen gesellschaftlichen Interessen und politischer Macht vermitteln. Zivilgesellschaft umfasst all jene, die über das Private hinaus Verantwortung für einen sozialen Zusammenhang übernehmen, ohne deshalb selber Machtpositionen im staatlichen Gefüge anzustreben.« Birkenbach; Wellmann 2000, S. 5.
266   Ebenda, S. 6.
267   Die Zahl der zivilgesellschaftlichen Organisationen in Kaliningrad hat sich nicht genau bestimmen lassen. Es sind Angaben vorhanden, wonach 900 Organisationen registriert sind, von denen aber nur 600 tatsächlich existieren, siehe Birkenbach; Wellmann 2000, S. 6.
268   Ebenda, S. 43.
269   Ebenda.
270   Ebenda, S. 41.

dert. Die große Armut und das Versagen staatlicher Institutionen führt in ganz Russland dazu, dass nur wenige Bürger in der Lage sind, sich zu engagieren oder überhaupt politisches Interesse zu zeigen. Das extreme Wohlstandsgefälle und die bestehende sozialpsychologische Polarisierung zwischen Weltoffenheit einerseits und traditioneller Selbstbezüglichkeit andererseits erschweren die Durchsetzung zivilgesellschaftlicher Einstellungen und Handlungsmuster.[271] Die fehlende Rechtssicherheit, die allgemeine Schwäche der interessenrepräsentierenden Strukturen (Parteien, Gewerkschaften) und die Tatsache, dass die Medien nur unzureichend zum öffentlichen Diskurs beitragen, kommen erschwerend hinzu.[272]

Die Studie über die Kaliningrader Zivilgesellschaft zeigt, dass das Verhältnis zwischen zivilgesellschaftlichen Organisationen (dritter Sektor) und den »Machtstrukturen« besonders problematisch ist. In Fällen, wo Organisationen sich offen und kritisch gegenüber dem Machtzentrum positionierten, kam es zu repressiven Maßnahmen wie z.B. zur Verweigerung des Zugangs zu Arbeitsräumen, der Gründung von Gegenorganisationen unter gleichem oder ähnlichem Namen bis hin zu Drohanrufen und körperlichen Übergriffen.[273] Erschwerend kommt hinzu, dass der Studie zufolge »weite Bereiche von Politik und Gesellschaft der Oblast' [...] von zivilgesellschaftlichem Handeln nahezu unberührt [sind]. Das betrifft sowohl die Situation außerhalb der Großstadt Kaliningrad als auch die Verfassung der politischen Parteien und die Situation im Medienbereich.«[274] Viele der Kaliningrader NGOs halten sich daher von den »Machtstrukturen« fern und beschränken sich auf die Arbeit mit ihren Klientelgruppen. Oft wird dieser Abstand durch eine rigorose moralische Ablehnung gegenüber der städtischen und regionalen Politik verstärkt.[275]

Während NGO-Initiativen in den Bereichen Jugend- und Sozialarbeit, Ökologie, Drogen- und HIV-Prävention zum Teil von den »Machtstrukturen« begrüßt werden, gilt dies nicht für die Felder Recht, Demokratie, Partizipation,

---

271   Ebenda, S. 40.
272   Ebenda, S. 40f.
273   Ebenda, S. 43.
274   Ebenda.
275   Ebenda, S. 41.

Frauen und Migration. Hier reagiert die Verwaltung sehr sensibel, weil ordnungspolitische Fragen nicht zum Gegenstand einer offenen zivilgesellschaftlichen Auseinandersetzung werden sollen.[276] Das bestätigt die Einschätzung, dass die »Etablierung einer zivilisierten demokratischen Kultur [in der Kaliningrader Oblast', T.B.] nicht wesentlich über das Anfangsstadium hinausgekommen« ist.[277] Dass sich seit dem Jahr 2000 an den Grundbedingungen der Kaliningrader Zivilgesellschaft nichts geändert hat, belegen ebenfalls die Stellungnahmen, die auf einem Seminar der unabhängigen »Schule für öffentliche Politik« in Svetlogorsk im Norden der Kaliningrader Oblast' im Oktober 2004 geäußert wurden. So haben die bestehenden nichtkommerziellen Organisationen nach wie vor keinen Einfluss auf die staatlichen Strukturen und genießen in der Bevölkerung keine Popularität. Die Hauptthese des Seminars war, dass sich in den zehn Jahren der russischen Demokratie nicht einmal die Grundlage einer Zivilgesellschaft hat herausbilden können.[278]

Eine Konsolidierung der Zivilgesellschaft hat nach Auswertung der vorliegenden Quellen auf der Ebene der Stadt Kaliningrad nicht stattgefunden. Für die kommunale Demokratie hat das negative Effekte. Wenn man die strukturelle Schwäche des Stadtrates und die Abhängigkeit des Mediensystems bedenkt, wird deutlich, dass es gegenüber dem administrativen Dominanzstreben, das bis in die Wurzeln der Gesellschaft reicht, keine wirksamen institutionellen Hemmnisse gibt.

4.5 Legitimation durch die Wähler

Die Wahlbeteilung auf der kommunalen Ebene gilt in der Forschung als Gradmesser für die Konsolidierung kommunaler Selbstverwaltung.[279] Sie zeigt

---

276   Ebenda, S. 44.
277   Major 2001, S. 41.
278   Markova, Ol'ga: Kirpičiki pod graždanskoe obžčestvo, in: Majak Baltiki, 21.10.2004.
279   Siehe Wollmann, Helmut: Local democracy and administration in East Germany – a »special case« of post-communist transformation?, in: Baldersheim, Harald; Illner, Michael; Wollmann, Hellmut (Hg.): Local democracy in Post-socialist Europe, Opladen 2004, elektronische Version siehe http://www2.rz.hu-berlin.de/ verwaltung/ (zuletzt geöffnet am 24.2.2007).

zum einen den Grad der politischen Partizipation der Bürger an[280] und ist zum anderen Ausdruck der Legitimität, den die Kommunalverwaltungsorgane in der Bevölkerung genießen.

Wenn man die Entwicklung der Wahlbeteiligung in Kaliningrad seit Mitte der 90er Jahre betrachtet, so hat der Partizipationsgrad der Bürger und der Legitimationsglaube gegenüber den kommunalen Verwaltungsorganen deutlich abgenommen. Die Wahlbeteiligung an den Kommunalwahlen liegt insgesamt unter der an Regional- und Föderalwahlen. Die Beteiligung an den Bürgermeisterwahlen liegt höher als an den Stadtratswahlen. Der Unterschied von regelmäßig etwa 10 % erlaubt die Schlussfolgerung, dass die Bevölkerung den Einfluss des Bürgermeisters auf die Lebensbedingungen höher einschätzt. Aber während an der Bürgermeisterwahl 1996 noch 45,7 % der wahlberechtigten Bevölkerung teilgenommen haben, war der Anteil im Jahr 2002 auf 27,3 % gesunken. Damit wurde die Mindestbeteiligung von 25 %, die Voraussetzung für die Gültigkeit der Wahl ist, nur knapp erreicht. 1998 hatte Jurij Savenko die Bürgermeisterwahl im zweiten Wahlgang bei 36,4 % Wahlbeteiligung gewonnen. Im Jahr 2002 ist es ihm zwar gelungen, bereits in der ersten Runde zu gewinnen, dafür ist die Wahlbeteiligung aber um rund zehn Prozentpunkte gesunken. Das erlaubt die Vermutung, dass zwar die Zustimmung in der Bevölkerung zu seiner Person relativ gestiegen ist, das Vertrauen in die Institution der kommunalen Selbstverwaltung jedoch gleichzeitig gesunken ist.

Die Wahl des Stadtrates musste 1996, wie bereits geschildert, wiederholt werden, da die Mindestbeteiligung von 20 % unterschritten worden war. Die Gültigkeit der Nachwahl konnte nur gewährleistet werden, weil der Passus über die Mindestbeteiligung vollständig aus dem Wahlgesetz gestrichen wurde. Im Jahr 2001 nahmen 17 % der wahlberechtigten Bevölkerung an der Wahl teil. In einem der 19 Wahlbezirke Kaliningrads ist es dabei trotz vierfacher Wahlwiederholung nicht gelungen, ein gültiges Wahlergebnis zu bestimmen, da die Zahl der Wähler, die »gegen alle Kandidaten« (»Protiv

---

280   Ebenda, S. 12.

vsech«) stimmten, jedesmal die Mehrheit bildete.[281] Aus diesem Grunde sind im Stadtrat für den Zeitraum 2001 bis 2005 nur 18 statt der durch die Stadtsatzung vorgesehenen 19 Stadträte vertreten.

Ingesamt scheint die niedrige und schrittweise abnehmende Wahlbeteiligung zu belegen, dass die Mehrheit der Bevölkerung Kaliningrads die Organe der kommunalen Selbstverwaltung nicht als ihre Interessenvertretung anerkennt. Das bedeutet, dass die demokratische Legitimation des Bürgermeisters und der Stadträte in zunehmendem Maße unzureichend ist. Die mangelnde Partizipation wird auf das tief verwurzelte Misstrauen in der Bevölkerung gegenüber der Politik zurückgeführt. Die Kommunalpolitikerin I. Gercik beschrieb die dominierenden Einstellungsmuster im Jahr 1997 folgendermaßen:

»Jetzt haben sich die Menschen von allen Behörden abgewandt und verhalten sich gegenüber jeder Einmischung in das eigene Leben abweisend. Sie unterscheiden nicht zwischen exekutiver und legislativer Gewalt. Ihnen ist alles völlig gleichgültig. Und diese Einstellung lässt sich auch bei Personen mit einer höheren Ausbildung beobachten! Wenn man erwähnt, dass jemand in einer staatlichen Behörde arbeitet, heißt das automatisch, dass er ein Bürokrat ist und dass man ihm gegenüber eine ablehnende Haltung einnimmt. Die Leute glauben, dass jeder klaut und betrügt und dass jemand nur deshalb Abgeordneter werden will, um sich selbst noch mehr zu nehmen.«[282]

---

281   Meldung des Baltic News Service, 5.3.2001; für eine Erklärung siehe Interview mit dem Verwaltungschef des Baltischen Bezirks »Vse upiraetsja v oblbjudžet«, in: Kaliningradskaja Pravda, 25.12.2003.

282   Gercik, I.: Organizacija mestnogo samoupravlenija v Kaliningradskoj Oblasti, in: Mestnoe samoupravlenie, Beilage zum Journal Severnaja Pal'mira, St. Petersburg 1997, S. 218-226, Internetversion: http://snpi.org.ru/index.php?do=biblio&doc=248 (zuletzt geöffnet am 24.2.2007).

5 Konflikte in der Konsolidierungsphase

5.1 Bürgermeister vs. Gebietsadministration

Die regionale Politik in der Kaliningrader Oblast' ist, wie in vielen anderen Regionen der Russischen Föderation, durch einen tiefgreifenden Konflikt zwischen der Gebietsadministration und dem Bürgermeisteramt des Oblast'-Zentrums gekennzeichnet: »Der Gouverneur des Gebietes und der Bürgermeister der Stadt Kaliningrad befehden sich heftig; sie sind die beiden Hauptrivalen eines hochgradig personalisierten Machtpokers. Eine klare politisch-weltanschauliche Trennlinie ist dabei kaum auszumachen, es geht vor allem um Macht pur.«[283] Der Grad an Autonomie, den die wichtigste Kommune in der Oblast' in dieser Auseinandersetzung zu bewahren trachtet, ist dabei nicht nur von den rechtlichen und den finanziellen Garantien abhängig, die hauptsächlich in der föderalen Gesetzgebung festgelegt sind, sondern vor allem von der Verteilung der realen Machtressourcen in der Region selbst.

Der Konflikt Bürgermeister vs. Gouverneur als »institutionalisierter Konflikt«
Eine der wichtigen strukturellen Ursachen für den Konflikt zwischen dem Bürgermeister und dem Gouverneur besteht darin, dass der »Mechanismus der Zusammenarbeit zwischen den staatlichen und kommunalen Organen [...] nicht ausreichend reguliert [ist, T.B.]. In der Verfassung ist festgehalten, dass die Organe der kommunalen Selbstverwaltung aus dem System der staatlichen Organe herausgenommen sind. Die Kommunen haben eigene Budgets, aber die Finanzierung ist so schwach, dass sie viele Probleme nicht selbstständig lösen können.«[284]

Die Heftigkeit des Konfliktes lässt sich mit dem postsowjetischen Politikstil erklären, wonach politische Auseinandersetzungen nach den Regeln eines Nullsummenspiels austragen werden: »Das *winner-takes-all*-Prinzip führt in

---

283 Birckenbach; Wellmann 2000, S. 42.
284 Gercik 1997, S. 3.

jungen Demokratien zur Polarisierung des politischen Wettbewerbs, weil die Akteure kaum Erfahrungen mit diskursiv-demokratischen Verfahren haben. Dies fördert die Verfestigung konfrontativer politischer Einstellungen und Verhaltensweisen und erhöht die Gefahr gesellschaftlicher Polarisierung.«[285]

Der Konflikt zwischen dem Gouverneur und dem Bürgermeister der Regionshauptstadt ist keine Besonderheit, sondern tritt in vielen Regionen Russlands auf. Da er durch die Logik der Machtverhältnisse in den Regionen hervorgebracht wird, bezeichnet ihn Trifonov als »institutionalisierten Konflikt«.[286] Die Gouverneure sind bemüht, die politische Stabilität der Regionen vor allem durch die Zentralisierung von Macht zu konsolidieren: »Der ›Herr‹ der Region richtet ›unter sich‹ den ganzen Verwaltungsapparat aus, unterdrückt die Opposition und ist bemüht, einen machtvollen, herrschenden Clan auf der Grundlage persönlicher Ergebenheit und gemeinsamer politökonomischer Interessen zu gründen.«[287] Die Einführung einer unabhängigen kommunalen Verwaltung Mitte der 90er Jahre führte zur Ausbildung einer »institutionalisierten Opposition«,[288] die den Zugriff der Gouverneure auf ein Minimum beschränkte. Deshalb versuchten diese nach Möglichkeit, die Kommunen wieder in die regionale Vertikale der Macht einzugliedern. Dieser Rezentralisierungstendenz konnten nur die Gebietshauptstädte widerstehen, da deren Bürgermeister über genügend Ressourcen verfügten, um den Gouverneuren die Stirn zu bieten.[289]

---

285   Merkel et al. 2003, S. 276f.
286   Trifonov, R.F.: Dinamika regional'nogo političeskogo processa v Rossii, in: Političeskaja Nauka, 29.12.2003, S. 2; zur Politik in den Regionen siehe auch Tsygankov 1998.
287   Trifonov, R.F.: Dinamika regional'nogo političeskogo processa v Rossii, in: Političeskaja Nauka, 29.12.2003, S. 1.
288   Ebenda, S. 6.
289   Gel'man weist außerdem darauf hin, dass der Konflikt zwischen Bürgermeistern und Gouverneuren eine »fundamental center-periphery cleavages« in den Regionen reflektiert. Die Bürgermeister verfolgen tendenziell die Interessen der urbanen Modernisierungszentren, in denen sich das Kapital konzentriert, während die Gouverneure sich auf die peripheren, verarmten und abhängigen Gemeinden stützen. Deshalb, so argumentiert er weiter, erweist sich die Dominanz der Gouverneure als ein grundlegendes Modernisierungshemmnis in der Russischen Föderation, siehe Gel'man 2003b, S. 50.

Um taktische Siege in dieser Auseinandersetzung zu erzielen, ist es nötig, die politische Meinungsführerschaft in der Öffentlichkeit zu etablieren, Rückhalt in den Gruppen der Oblast'-Elite zu sichern und Loyalitäten in der Presse- und Medienlandschaft zu erwirken. Die Spaltung der politischen Lager ist dabei scharf ausgeprägt und reicht tief in die Gesellschaft hinein. Von Beobachtern wird der Begriff der »Bipolarität«[290] benutzt, um diese politische Situation in der Oblast' zu beschreiben. Es handelt sich dabei jedoch um einen Zustand, der nur für kurze Phasen der Auseinandersetzung charakteristisch ist.

Der Konflikt in der Kaliningrader Oblast' wird durch die Besonderheit verstärkt, dass sich in der Gebietshauptstadt etwa 40 % der Bevölkerung und etwa 80 % der industriellen und kulturellen Ressourcen der Region konzentrieren. Der ehrgeizige Bürgermeister, der in Umfragen immer ausgezeichnet abschnitt und hinter dem etwa die Hälfte der aktiven Wähler Kaliningrads stehen, verfügt daher über eine gute Ausgangsbasis, um den Gouverneur herauszufordern, der noch dazu auf dem Terrain residiert, das durch den Bürgermeister verwaltet wird.

Die Geschichte des Konflikts
Das Verhältnis zwischen Bürgermeisteramt und Gebietsadministration war bereits vor dem Amtsantritt Savenkos durch Konflikte geprägt. Schon seine Vorgänger Šipov und Kožemjakin mussten sich gegen Eingriffe des Gouverneurs in die Zuständigkeiten der Kommune wehren und mit politischem Druck die Budgeteingänge der Stadt sichern.[291] Der offene Konflikt zwischen Jurij Savenko und dem Gouverneur Leonid Gorbenko setzte im Sommer 1998 ein, als Savenko unbestätigt amtierender Bürgermeister war. Am 1. Juli 1998 hatte die Stadt einen Teil ihrer Schulden beglichen und 10,3 Mio. Rubel an die Gebietsadministration überwiesen. Am 31. Juli stellte der Gouverneur weitere Forderungen in Höhe von 500.000 Rubeln und begann, um den Forderungen

290   Denisenkov, Aleksej: V Preddverii konflikta, in: Ėkspert Severo-Zapad, 8 (37), 7.5.2001.
291   Nagornych, Elena: Na tschuschoi karavaj rta nie razevaj, in: Kaliningradskaja Pravda, 30.6.1998; Nagornych, Elena: Kto vezet, na togo i gruzjat, in: Kaliningradskaja Pravda, 26.12.1997; Gercik 1997; Konflikte gab es ebenfalls zwischen Vitalij Shipov und Matočkin, siehe N.N.: Pobeda: odna na vsech, in: Kalinigradskaja Pravda, 30.1.2002.

Nachdruck zu verleihen, die Eingänge auf das Konto der Stadt zu beschlag-
nahmen. Für die Stadt bedeutete dies, dass sie ihre laufenden Ausgaben
nicht tätigen konnte. Um dieses Manöver abzuwehren, bereitete der Bürgermeister eine Klage gegen einen Beschluss der Gebietsduma vom Dezember
1997 vor, der dreißig Prozent der städtischen Einkommenssteuer in das Gebietsbudget umleiten sollte. Savenko argumentierte, dass die daraus resultie-
renden Steuerausfälle in Höhe von 130 Mio. Rubeln jährlich die prinzipielle
Funktionsfähigkeit der Kommune infrage stellten. Der Bürgermeister konnte
sich in diesem Machtkampf gegen Gorbenko behaupten und am 4. August
1998 wurde das Konto der Stadt wieder freigeben.[292]

Der Auslöser für die weitere Eskalation des Konfliktes zwischen der Stadt und
der Oblast' war der Vorstoß des Gouverneurs, die Kommunen durch die Einführung eines parallelen Systems »territorialer staatlicher Verwaltungsorgane«
wieder in die Gebietsverwaltung einzugliedern. Diese in allen Land- und Stadtkreisen der Oblast' zu errichtenden Organe, sollten durch persönliche Vertreter des Gouverneurs geleitet werden und zentrale Aufgaben der lokalen Verwaltungen wahrnehmen.[293] Savenko und die Bürgermeister und Kreisräte der
anderen Kommunen wandten sich an die Staatsanwaltschaft mit der Klage,
dass die Anordnungen des Gouverneurs nicht verfassungskonform wären
und den föderalen Gesetzen und kommunalen Hauptsatzungen widersprä-
chen.[294] Nachdem die Gebietsstaatsanwaltschaft wegen der Verordnungen
Protest bei der Gebietsadministration eingelegt hatte, weigerte sich der Bürgermeister, die Anordnungen des Gouverneurs auf dem Territorium der Stadt

---

292   Siehe die Chronik der Stadtverwaltung 1998-2000, S. 2, http://www.panorama.ru/
       works/mery/klg.html (zuletzt geöffnet am 25.3.2005).
293   In Kaliningrad sollte die Verordnung des Gouverneurs Nr. 529 vom 8.9.1999
       »Über die Bildung einer Kaliningrader territorialen Verwaltung zur Ausübung
       staatlicher Vollmachten durch die Administration der Kaliningrader Oblast'« diesen
       Prozess einleiten. Gleichlautende Verordnungen wurde auch für die anderen
       Kommunen der Kaliningrader Oblast' erlassen, siehe: Jabloko (Kommission des
       Zentralrates für Kommunalpolitik): Bjulleten' po munizipal'noj politike Nr. 10 (16)
       1999. Es hatte bereits im Mai 1997 einen ersten Vorstoß des Gouverneurs geben,
       in den Kommunen persönliche Vertreter zu ernennen, siehe Gercik 1997, S. 2.
294   Nagornych, Elena: Mėry skazali: »Voz'mėmsja za ruki, druuz'ja!« in: Kalinin-
       gradskaja Pravda, 14.9.1999; siehe auch: Pirogova, Ljudmila: »Leonid Petrovič
       vam malo? Prokurator dobavit!«, in: Kaliningradskaja Pravda 1999, 17.9.1999.

umzusetzen.[295] Da die Gebietsduma die Position der Kommunen in der Oblast' unterstützte und die Land- und Stadtkreise gemeinsamen Widerstand gegen den Gouverneur leisteten, musste dieser sich geschlagen geben und seine Verordnung zurückziehen.[296]

Im November 2000 wurde Leonid Gorbenko bei den Gouverneurswahlen durch den Admiral der Baltischen Flotte – Vladimir Egorov – abgelöst.[297] Sein Konkurrent war im Wahlkampf durch das Bündnis »Sozidanie«, einen Zusammenschluss lokaler Eliten, unterstützt worden. »Sozidanie«, dem auch der Bürgermeister Kaliningrads angehörte, war durch das Ziel geeint, Gorbenko aus dem Amt zu drängen, da seine politischen Fähigkeiten begrenzt waren und es ihm nicht gelang, die Eliten der Oblast' zu integrieren. Savenko hatte zunächst angekündigt, selbst für das Gouverneursamt zu kandidieren. Er musste aber auf Druck des Kremls, der den Admiral Egorov bevorzugte, seine Kandidatur zurückziehen und unterstütze den Favoriten Moskaus.[298]

Nach dem Amtsantritt Vladimir Egorovs bestand für kurze Zeit die Hoffnung auf ein dauerhaftes politisches Bündnis zwischen dem Bürgermeister und dem Gouverneur und es stand damit die Entwicklung eines kooperativen Verhältnisses zwischen der größten Kommune der Oblast' und der Gebietsadministration in Aussicht.[299] Noch während des Wahlkampfes war eine Abmachung getroffen worden, die sozioökonomische Entwicklung des Gebiets in Zukunft gemeinsam auszuhandeln, wofür der doppelte Vorsitz in einem neu zu gründenden Wirtschaftsrat beschlossen wurde. Das kooperative Verhältnis hielt jedoch nicht lange. Den ersten Rückschlag erlitt Savenko, als er nicht wie erwartet zum Vorsitzenden der Gebietsassoziation der Kommunen – der wich-

---

295 Siehe Interview mit Jurij Savenko, in: Jabloko (Kommission des Zentralrates für Kommunalpolitik): Bjulleten' po munizipal'noj politike Nr. 10 (16) 1999.
296 Die Gebietsduma und die Assoziation der Kommunalkörperschaften der Kaliningrader Oblast' forderten den Gouverneur auf, seine Verordnungen rückgängig zu machen. Siehe Jabloko (Kommission des Zentralrates für Kommunalpolitik): Bjulleten' po munizipal'noj politike Nr. 10 (16) 1999.
297 Hintergrund siehe Moses, Joel C.: Political-Economic Elites and Russian Regional Elections 1999-2000: Democratic tendencies in Kaliningrad, Perm and Volgograd, in: Europe-Asia Studies, Vol. 54, 6/2002, S. 916-920.
298 Siehe Denisenkov, Aleksej: V Preddverii konflikta, in: Ėkspert Zevero-Sapad, 8 (37), 7.5.2001.
299 N.N.: Pobeda: odna na vsech, in: Kaliningradskaja Pravda, 30.1.2002.

tigsten kommunalen Interessenvertretung in der Oblast' – gewählt wurde, was zum Teil auf die fehlende Unterstützung durch die Gebietsadministration zurückzuführen war.[300] Eine Reihe von politischen Meinungsunterschieden im Vorfeld der Gebietsduma- und der Stadtratswahlen sowie unterschiedlichen Positionen gegenüber den föderalen Behörden vertieften die Gräben zwischen Gouverneur und Bürgermeister.[301] Spätestens jedoch der Konflikt über die Verabschiedung des Gebietsbudgets für das Jahr 2002, das die Stadt Kaliningrads nach Ansicht des Bürgermeisters in die Abhängigkeit der Gebietsadministration brachte, führte zum Rückfall in den Zustand der konfliktreichen Rivalität, wie sie für das Verhältnis zwischen dem früheren Gouverneur Gorbenko und Savenko kennzeichnend gewesen war.[302]

Der Konflikt eskalierte Ende 2004 im Vorfeld der Gebietsdumawahlen und der Entscheidung über den Nachfolger des Gouverneurs im Jahr 2005.[303] Der Kampf um das Amt des Gouverneurs, der sich zu einem Konflikt rivalisierender regionaler Elitengruppen ausgeweitet hat, entfaltet sich demzufolge trotz der Tatsache, dass der zukünftige Gouverneur voraussichtlich durch den Präsidenten ernannt werden würde.[304] Die Wahrscheinlichkeit, dass Vladimir Egorov seine Position halten konnte, wurde nicht hoch eingeschätzt, denn

---

300   Hintergrund siehe Moses, Joel C.: Political-Economic Elites and Russian Regional Elections 1999-2000: Democratic tendencies in Kaliningrad, Perm and Volgograd, in: Europe-Asia Studies, Vol. 54, 6/2002, S. 916-920.

300   Siehe Denisenkov, Aleksej: V Preddverii konflikta, in: Ėkspert Zevero-Sapad, 8 (37), 7. 5.2001.

301   Ebenda.

302   Zum Konflikt um das Gebietsbudget aus der Sicht der Stadt siehe Nagornych, Elena: Komu i sačem nužna bjudžetnaja vojna?, in: Kaliningradskaja Pravda, 15.11.2001. Hinzuzufügen ist, dass trotz der massiven Unstimmigkeiten das Verhältnis zwischen Bürgermeister und Gouverneur streckenweise intakt geblieben ist, so dass verschiedene Formen der Zusammenarbeit weiterhin möglich waren. Ein Beispiel ist die Zusammenarbeit in Vorbereitung des 750-jährigen Jubiläums der Stadt im Jahr 2005. Zu diesem Zweck wurde ein Organisationskomitee gegründet, dem der Gouverneur und der Bürgermeister angehören. Ziel des Komitees ist es, nach dem Vorbild des St. Petersburger Stadtjubiläums nicht nur die Aufmerksamkeit der internationalen Öffentlichkeit auf Kaliningrad zu lenken, sondern vor allem föderale Mittel für die Instandsetzung der Stadt und zum Ausbau der Infrastruktur zu requirieren.

303   Machlov, Arsenij: Iskusstvo žit' bez gubernatora, ili dispozicija pered naznačeniem, in: Dvornik, 23.11.2004.

304   Ebenda.

sein Rückhalt in den regionalen Eliten war gesunken und es wurde ihm Entscheidungsschwäche und Unfähigkeit vorgeworfen, ein Team verlässlicher, tatkräftiger Mitarbeiter aufzustellen.[305] Eine Taktik des Bürgermeisters, ihn aus dem Amt zu drängen, bestand darin, so viele bürgermeistertreue Kandidaten wie möglich in die Gebietsduma zu bringen, die den Vorschlag des Präsidenten bestätigen müssen und somit einen gewissen Einfluss auf die Ernennung des Gouverneurs ausüben. Des weiteren versuchte Savenko die Dominanz über die Regionalorganisation von »Einiges Russland« zu erlangen, um so auf die Kommunalwahlen im Herbst 2004 in den Land- und Stadtkreisen der Kaliningrader Oblast' Einfluss zu nehmen.[306] Außerdem ist es Savenko 2004 gelungen, den Kaliningrader Stadtratsvorsitzenden Evgenij Gan auf den Posten des Vorsitzenden der Assoziation der Kommunalkörperschaften der Kaliningrader Oblast' (AMOKO) zu bringen, um diese wichtige Lobbygruppe zu beeinflussen. Dass Savenko dieser Eingriff gelungen ist, deutet darauf hin, dass der Kaliningrader Stadtrat zunehmend in die Auseinandersetzung einbezogen wurde und als politische Ressource des Bürgermeisters fungierte.[307] Der Gouverneur reagierte auf die Manöver Savenkos u.a. mit der Drohung, im Kaliningrader Gebiet ein vertikales Verwaltungsmodell einzuführen, dem gemäß die Leiter der wichtigsten kommunalen Gebietskörperschaften in Zukunft durch den Gouverneur ernannt würden.[308]

Auseinandersetzung um die Finanzen

Die Budgeteinnahmen der Kommunen setzen sich zusammen a) aus festgesetzten Anteilen föderaler und regionaler Steuern, b) aus originären lokalen Steuern und Abgaben, deren Ertrag vollständig den Kommunen zukommt, c) aus staatlichen Zuweisungen und Subventionen und d) aus Einnahmen aus der Privatisierung bzw. der Vermietung kommunalen Eigentums.[309] Zuwei-

---

305   Zur Einschätzung des Gouverneurs siehe Krom, Elena: Drejfujuščij ostrov, in: Jantarnyj Kraj, 11.11.2003.
306   Zu den Kommunalwahlen im Herbst 2004 ließ Savenko hohe Beamte der Kaliningrader Stadtadministration für die einflussreichen Kreisrats- und Bürgermeisterposten im Kaliningrader Oblast' antreten, siehe N.N.: Vlast': vertikal'nye intrigi, in: Majak Baltiki, 15.10.2004.
307   Siehe N.N.: Vlast': vertikal'nye intrigi, in: Majak Baltiki, 15.10.2004.
308   Siehe ebenda.
309   Zur Einführung in das System lokaler Finanzen siehe Mildner, S. 152-183.

sungen (»Dotaci«) aus den Regionsbudgets spielen dabei besonders für diejenigen Kommunen eine Rolle, die aufgrund ihrer schwach entwickelten lokalen Wirtschaft nicht über eigenständige Haushalte verfügen. Die wichtigste Finanzquelle der Kommunen sind Steuereinkünfte,[310] die mit den Regionen geteilt werden.

Da die Gebietsbehörden über die Höhe des kommunalen Anteils entscheiden, befinden sich die Kommunen in einer ständigen Abhängigkeit von den Regionalverwaltungen. Das russische System öffentlicher Finanzen erweist sich somit als ein Haupthindernis für die Entfaltung der Kommunen.[311] Während die verfassungsrechtlichen und föderalrechtlichen Garantien für die politische Autonomie der kommunalen Ebene relativ substanziell sind, war die Ausstattung mit fiskalischen Rechten inkonsequent. Die Kommunen haben – wenn sie überhaupt über ein eigenständiges Budget verfügen – nur einen begrenzten Einfluss auf die Verwendung des Geldes. Außerdem besteht für die Kommunen kein Anreiz, die Steuereinnahmen durch gezielte Wirtschaftsförderungsmaßnahmen zu erhöhen, da die Budgetzuweisungen festgelegt sind und nicht proportional zum kommunalen Wirtschaftswachstum steigen.

Seit Ende der 90er Jahre besteht außerdem die Tendenz, dass die allgemeinen Budgetzuwächse auf Kosten der Stadt Kaliningrad der regionalen Ebene zufließen. Dies führt zu einer schleichenden Zentralisierung der Finanzmittel innerhalb der Oblast', denn »während das Gebietsbudget 2001 im Vergleich zu 1999 um das 1,77-fache, und von 2001 bis 2002 um das 1,42-fache stieg,

310   Obwohl der Kaliningrader Haushalt seit 1999 rapide Zuwächse zu verzeichnen hat, hat dies jedoch nicht zur Aufhebung der finanziellen Abhängigkeit der Kommunen geführt, da schnelle Preis- und Lohnsteigerungen diese Entwicklung neutralisiert haben. Prozentuales Wachstum in Bezug auf das Vorjahr, siehe Grafik des Rechenschaftsberichts des Bürgermeisters 2003 (CD-ROM), Kap. I, S. 7. Es ist wichtig zu berücksichtigen, dass die Augustkrise von 1998 sich sehr intensiv auf das Stadtbudget ausgewirkt hat: »1997 betrug [der Stadthaushalt] umgerechnet 108 Mill. Dollar. Im Jahr 1998 waren es 42 Mill. Dollar. Die Krise im August 1998 hatte außerordentlich starke Auswirkungen auf das Budget Kaliningrads.« Jurij Bedenko: Bjudžetnaja politika federalov – ne v nashu pol'su, in: Graždanin, 24.7.2003. Die Zuwächse erklären sich daher auch damit, dass der Ausgangspunkt auf einem sehr niedrigen Niveau lag.
311   Mildner 1996, S. 183: »Alles in allem bietet das russische Finanzsystem die denkbar schlechtesten Bedingungen für die Entwicklung lokaler Demokratie und Selbstverwaltung.«

nahm das Kaliningrader Budget nur um das 1,45-fache bzw. um das 1,18-fache zu.«[312]

Die Beteiligung der Kommune am Steueraufkommen in der Stadt sinkt kontinuierlich: »Im Jahr 1999 betrugen die städtischen Budgeteinnahmen 38 % der Gesamtsumme der Steuereinnahmen für alle Ebenen des Budgets [föderale, regionale, lokale Ebene, T.B.], 2000 waren es 29 %, 2001 28 % und 2002 nur 24 %.«[313] Im Jahr 2003 lag der Anteil bei 26 %.[314] Die Folge davon ist, dass Kaliningrad seit dem Jahr 2002 über ein defizitäres Budget verfügt und Zuweisungen aus dem Gebietsbudget empfängt.[315]

Die Zentralisierung der Finanzen innerhalb der Oblast' lässt sich auch anhand der Entwicklung der Einkommensteuer natürlicher Personen (Podochodnyj nalog s fizičeskich lic) zeigen, deren Ertrag in den Jahren 2001 bis 2003 jeweils ca. 50 % des Gesamtbudgets Kaliningrads ausmachte.[316] Ab dem Jahr 2002 erhielt Kaliningrad nur noch 80 % dieses Ertrags, obwohl den anderen Kommunen der Oblast' 100 % zugesprochen wurden. Dieser Anteil wurde für das Haushaltsjahr 2004 um 30 % gesenkt – diesmal allerdings in allen Kommunen.[317] Gleichzeitig findet innerhalb der Oblast' eine finanzielle Umverteilung zugunsten der wirtschaftlich vergleichsweise marginalisierten Kommunen statt.[318]

Ein großes Problem für die Stadt besteht darin, dass das bestehende Finanzmodell keine Planungssicherheit gewährleistet. Die Definition der Steueranteile wie auch die Festlegung des Umfangs der Zuweisungen werden

---

312   Rechenschaftsbericht des Bürgermeisters für das Jahr 2001 (CD-ROM), S. 9.
313   Ebenda.
314   Rechenschaftsbericht des Bürgermeisters für das Jahr 2003 (CD-ROM), Kap. I, S. 7.
315   Denisenkov, Aleksej: Prožčaj samodostatočnost', in: Ėkspert Severo-Zapad, 9 (70), 4.3.2002.
316   Rechenschaftsberichte des Bürgermeisters für 2001 (CD-ROM), 2002 (CD-ROM) und 2003 (CD-ROM), Bürgermeisteramt Kaliningrad.
317   2004: Černyševa, Galina: Gubernator Egorov: My gotovim naselenie k neizbežno tjaželoj žizni, in: Graždanin, 25.12.2003.
318   Die Steigerung der Zuweisungen betrug 2002 im Vergleich zum Vorjahr in den Landkreisen Bagrationovsk 446 %, Poleskij 448 %, Gvardejsk 1862 % und im Ort Jantarnyj 641 %, siehe Denisenkov, Aleksej: Prožčaj samodostatočnost', in: Ėkspert Severo-Zapad, 9 (70), 4.3.2002.

jährlich im Haushaltsgesetz der Oblast' bestimmt. Da der Verabschiedung des Budgets in der Gebietsduma immer ein Verhandlungsprozess zwischen der Oblast'-Administration und den Dumaabgeordneten vorausgeht, dessen Ausgang nicht vollständig vorhersehbar ist, versucht die Stadt auf diesen Prozess einzuwirken. Die Einflussnahme beschränkt sich dabei nicht allein auf die Lobbyarbeit in der Gebietsduma. Vonseiten der Stadt wird vielmehr eine ständige Auseinandersetzung mit der Gebietsadministration geführt, die ihren jährlichen Höhepunkt in der Zeit der Verabschiedung des Budgets findet. Hierfür mobilisiert das Bürgermeisteramt alle Ressourcen, die zur Verfügung stehen. Die Abgeordneten des Stadtrates werden dazu aufgefordert, für die Stadt einzutreten.[319] Es wird in der Öffentlichkeit Druck auf die Abgeordneten der Regionalduma ausgeübt, indem sie vor den Augen der Bevölkerung diskreditiert werden[320] und die Namen derjenigen veröffentlicht werden, die sich nicht gemäß den Interessen der Stadt positionieren.[321] Außerdem versucht das Bürgermeisteramt die Gebietsadministration unter Druck zu setzen, indem es die Bevölkerung mobilisiert. So wurde in einem Zeitungsartikel im Herbst 2001 angekündigt, dass die Stadt die Sozialprogramme herunterfahren müsse, wenn das »Budget der ersten Lesung« in unveränderter Form beschlossen würde.[322] Gleichzeitig wurden offene Drohungen an den Gou-

---

319   Der Stadtrat A. Nepomnjaščich wird in Bezug auf das Budget für 2002 zitiert: »Wenn wir dieses Budget verabschieden, sprengen wir die Situation in der Oblast' und rufen die Unzufriedenheit der Leute hervor.« Komu i sačem nužna bjudžetnaja vojna?, in: Kaliningradskaja Pravda, 15.11.2001.

320   Eine Journalistin des Pressedienstes des Stadtrates schrieb im städtischen Amtsblatt »Graždanin«: »Ich möchte meinen, dass für das Geld, das die Abgeordneten der Gebietsduma erhalten (und das sind mehr als 30 Tausend Rubel), sie sich auch öfter versammeln könnten als zwei Mal im Monat, besonders dann, wenn ein grundlegendes Dokument – das Gebietsbudget – verabschiedet wird. Aber ich verstehe, sie haben keine Zeit – fast jeder von ihnen hat sein eigenes Unternehmen... « Černyševa, Galina: Gubernator Egorov: My gotovim naselenie k neizbežno tjaželoj žizni, in: Graždanin, 25.12.2003.

321   Bezüglich der Beratungsphase für das Budget für 2002 siehe: Nagorchnych, Elena: Komu i sačem nužna bjudžetnaja vojna?, in: Kaliningradskaja Pravda, 15.11.2001, hinsichtlich der Beratungsphase für das Budget für 2004 siehe: Černyševa, Galina: Gubernator Egorov: My gotovim naselenie k neizbežno tjaželoj žizni, in: Graždanin, 25.12.2003.

322   Nagornych, Elena: Komu i sačem nužna bjudžetnaja vojna?, in: Kaliningradskaja Pravda, 15.11.2001.

verneur gerichtet: »Denken Sie nicht, dass, wenn die Situation in der Stadt außer Kontrolle zu geraten beginnt, der Bürgermeister und die Stadtratsabgeordneten massenhaft zurücktreten werden. Wir werden mit der Bevölkerung sprechen. Und wir werden die Unzufriedenheit kanalisieren.«[323]

Der Erfolg dieser »Budgetgefechte«, wie sie aus Sicht der Stadt bezeichnet werden,[324] ist begrenzt. Gegen die Tendenz, dass der Anteil der Stadt an den Steuereinnahmen sinkt und die Abhängigkeit von Zuweisungen aus dem Gebietsbudget wächst, kann der Bürgermeister nichts ausrichten.

5.2 Kommune vs. Föderation

Der Status Kaliningrads als kommunale Körperschaft mit entsprechenden Zuständigkeiten und Befugnissen leitet sich im Wesentlichen aus dem föderalen Gesetz über die kommunale Selbstverwaltung ab. Für die Entwicklung der kommunalen Ebene seit Inkrafttreten des Gesetzes sind jedoch auch extralegale Einflüsse prägend gewesen, die sich auch auf Kaliningrad ausgewirkt haben. Zu nennen sind a) die grundsätzliche Unterfinanzierung der Kommunen in der RF, b) die Belastung der Kommunen durch Überführung subventionierter Sektoren in ihren Verantwortungsbereich, an erster Stelle die kommunale Wohnungswirtschaft und c) die Übertragung finanziell nicht gedeckter Aufgaben im Bereich der Sozialpolitik.

Unterfinanzierung der Kommune und die Folgen
In Kaliningrad haben diese Einflussfaktoren nicht nur zu einer Verschuldung der Stadt gegenüber den kommunalen Versorgungsunternehmen geführt, sondern es ist durch die Einstellung der Investitionstätigkeit auch zu einem Verschleiß der Infrastruktur und des kommunalen Wohnungsbestandes gekommen. Die Stadt benutzt das Abwassersystem der Vorkriegszeit[325] und es gibt große Probleme mit der Trinkwasserversorgung.[326] Der Verfall des kom-

---

323   Ebenda.
324   Siehe Nagornych, Elena: Gorodskoj romans Jurija Savenko, in: Kaliningradskaja Pravda, 20.2.1999.
325   Rechenschaftsbericht des Bürgermeisters für 2002 (CD-ROM), S. 25.
326   Zum Problem der Trinkwasserversorgung siehe Malyšev, Pavel: Quell des Lebens? Trinkwasserversorgung oder Schmutzwasserversorgung in Kaliningrad?,

munalen Wohnungsbestandes, der in der Stadt knapp 60 % des Gesamtbe-
standes ausmacht, beträgt nach Angaben der Stadt inzwischen 70 %.[327] Der
Bereich der Wohnungswirtschaft ist nicht nur in Kaliningrad, sondern in der
gesamten Russischen Föderation ein besonderer Problemfall, da dieser Sektor in der Sowjetunion verstaatlicht und hochgradig subventioniert gewesen
war und in den 90er Jahren nicht durch Reformen liberalisiert worden ist.[328]
Die Bewirtschaftung des Wohnungsbestandes und die Bereitstellung kommunaler Dienstleistungen wie Fernwärme, Wasser, Strom, Gas etc. fielen unter
wenig veränderten Rahmenbedingungen den Kommunen zu.

Da die Bevölkerung keine kostendeckenden Preise für Miet- und Nebenko-
sten bezahlen kann, fließt jährlich ein erheblicher Anteil des Kaliningrader
Stadtbudgets in die Subventionierung der Wohnungswirtschaft. Dennoch
bleibt der Sektor chronisch unterfinanziert, die Schulden gegenüber den
kommunalen Unternehmen steigen und die Qualität der angebotenen Dienstleistungen ist defizitär. Mängel und Ausfälle in der Wohnungswirtschaft sind
deshalb Gegenstand der meisten Beschwerden von Bürgern an die Stadtverwaltung.

Verstärkt wird das Dilemma der Kommune noch dadurch, dass die russische
Regierung in den 90er Jahren verschiedenen Gruppen (Rentnern, Veteranen,
öffentlichen Angestellten) soziale Ermäßigungen auf kommunale Dienstleistungen garantiert hat, ohne die entstehenden Kosten zu kompensieren. Eine
Mitarbeiterin des Kaliningrader Stadtrates bringt die Auswirkung so zum Ausdruck:

»[Die Stadt] leidet unter dem Joch der Ausgaben, die für die Erfüllung
staatlicher Aufgaben getätigt werden. Wie viele Gesetze wurden verabschiedet, nach denen Sozialvergünstigungen (l'goty) etwa 60 verschiedenen Kategorien von Bürgern zustehen. Die Stadt Kaliningrad
bezahlt diese Ausgaben aus ihrem Budget – die Oblast' gibt dafür nicht
eine Kopeke aus.«[329]

---

in: Osteuropa. Jg. 53, 2-3/2003, S. 320-328.
327   Rechenschaftsbericht des Bürgermeisters für 2002 (CD-ROM), S. 24 und S. 27.
328   Zur Wohnungswirtschaft siehe Mildner 1996, S. 184-216.
329   Siehe Minilis, Ljubov: Polnomočija dali. A dengi?, in: Kaliningradskaja Pravda,
       28.2.2002.

Das Bürgermeisteramt reagierte auf diese komplizierte Situation, indem es die finanziellen Ressourcen darauf konzentrierte, die Grundfunktionen der kommunalen Versorgungs- und Dienstleistungssysteme aufrechtzuerhalten und kompensierte ihre Legitimitätsdefizite gleichzeitig mit der demonstrativen Aufrechterhaltung der Subventionierung der kommunalen Wohnwirtschaft.

Die Kommune ist kaum in der Lage, die sozialen Härten des Transformationsprozesses abzufedern. Das zeigt z.b. die hohe Zahl obdachloser Kinder und Jugendlicher in der Stadt. Bis Ende der 90er Jahre konnten nicht einmal die ohnehin niedrigen Löhne der kommunalen Angestellten rechtzeitig ausgezahlt werden.[330] Durch das beträchtliche Wirtschaftswachstum in der Kaliningrader Oblast' Anfang der 2000er Jahre, das auch zu einer merklichen Vergrößerung der Haushaltsmittel führte, konnte zwar der Lohnrückstand gegenüber den kommunalen Angestellten getilgt und die kommunalen Versorgungssysteme stabilisiert werden, der sozialpolitische Spielraum der Kommune blieb jedoch eingeschränkt, da Preis- und Lohnsteigerungen die Haushaltszuwächse nivellierten.

---

330   Chronik der Kaliningrader Stadtverwaltung 1998-2000, http://www.panorama.ru/works/mery/klg.html (zuletzt geöffnet am 24.2.2007).

6 Die Präsidentschaft Putins: Auswirkung auf die Kommunalpolitik

Der Amtsantritt Vladimir Putins führte, wie bereits geschildert, zu einem »Paradigmenwechsel« der föderalen Politik gegenüber den russischen Kommunen, dessen Auswirkungen dort nach und nach spürbar werden. Diese Verzögerung ist darauf zurückzuführen, dass die Neuordnung der Föderalbeziehungen zu den Prioritäten Putins gehörte und die Reform der kommunalen Ebene diesem Ziel nachgeordnet wurde.

Die direkte Einflussnahme der Föderation auf die Kommunen erfolgt durch a) die Zentralisierung des Budget- und Steuersystems und b) die Neuordnung der kommunalen Verwaltung durch das aktuelle kommunale Selbstverwaltungsgesetz, das auf eine Wiedereingliederung der Kommunen in den Staat abzielt. Die indirekten Auswirkungen werden daran deutlich, dass c) der von Putin lancierte Diskurs vom »starken Staat« und der »Vertikale der Macht« von Kaliningrader Kommunalpolitikern übernommen wird und d) eine Stadtorganisation der Präsidentenpartei »Edinaja Rossija« gegründet wurde, die seit Ende 2003 die größte Fraktion des Kaliningrader Stadtrates bildet. Außerdem e) werden der Kommune die Verantwortung für die Durchführung tiefgreifender Reformen der Sozial- und Wohnungsbewirtschaftungspolitik übertragen, ohne dass die notwendigen Mittel (Macht, Finanzen) transferiert werden. Diese auf alle Kommunen der RF angewandten Zwänge führen in Kaliningrad dazu, dass sich die Stadt als Erfüllungsgehilfin föderaler Interessen zu verhalten und die Verstaatlichung der Kommune in den entsprechenden Bereichen voranzutreiben hat.

6.1 Zentralisierung der Finanz- und Budgetsysteme

Die Zentralisierung des föderalen Steuer- und Budgetsystems wirkte sich zunächst negativ auf das Kaliningrader Stadtbudget aus. Darauf hat die Kaliningrader Stadtverwaltung wiederholt hingewiesen.[331] Die Annahme des zweiten Teils des russischen Steuerkodexes im Jahr 2000 führte zu einer starken Reduzierung der städtischen Steuereinnahmen: Wohnsteuer, Mehrwertsteuer und Anteile der Verkaufssteuern gehen nicht mehr an die Kommunen.[332] Der föderale Anteil an den Steuereinnahmen insgesamt stieg von unter 40 % im Jahr 1998 auf 63 % im Jahr 2002.[333] Die vollständige Umleitung der Mehrwertsteuer in das föderale Budget und die schrittweise Kürzung der Anteile an der Gewinnsteuer waren einige der Gründe, warum Kaliningrad im Jahr 2002 ein defizitäres Budget hatte.[334]

Einen weiteren Einschnitt für die Kommune bedeutet das Programm »Über die föderalen Budgetbeziehungen der Russischen Föderation bis zum Jahr 2005«, das im Jahr 2001 beschlossen wurde. Hier deutet sich bereits der Kurs der neuen Kommunalreform unter Putin an. Das Programm sieht tiefe Einschnitte in die Ausgabenkompetenz der Kommunen im Bereich der Auftragsverwaltung vor. Außerdem wird der Zuständigkeitsrahmen der Kommunen eingeschränkt. Die Finanzierung der Bildung, Gesundheitsfürsorge und Kultur ging an die Oblast'-Administration über. Den Kommunen verblieb die Verantwortung für die Verkehrsinfrastruktur und den Wohnungsbestand. Diese Umverteilungsmaßnahmen stellen keine reale Entlastung für die Kommunen dar, da nur die Auszahlung der Gehälter an die Oblast' übergeht und die

---

331   Die Politik der Regierung, die Steuereinnahmebasis des föderalen Budgets zu erweitern, hat die Position des kommunalen Budgets merklich geschwächt. So führte die vollständige Zentralisierung der Mehrwertsteuer zu Budgetausfällen in Höhe von 534 Mill. Rubeln. Rechenschaftsbericht des Bürgermeisters für 2001 (CD-ROM), S. 7; der Bürgermeister im Rechenschaftsbericht für das Jahr 2002: »Bei meinen früheren Auftritten habe ich nicht nur einmal darauf hingewiesen, dass die Politik der [föderalen] Regierung, die Steuerbasis des föderalen Zentrums zu stärken, die Position des kommunalen Budgets schwächt.« Rechenschaftsbericht des Bürgermeisters 2002 (CD-ROM), S. 26.

332   Sakwa 2002, S. 251.

333   Gel'man 2003a, S. 1345f.

334   Siehe Denisenkov, Aleksej: Proščaj samodostatočnost', in: Ékspert Severo-Zapad 9 (70), 4.3.2002.

kostspielige Aufgabe des Gebäudeerhalts und der Wohnungssanierung in der Verantwortung der Kommunen verbleibt.[335]

6.2 Die Auswirkungen des neuen Kommunalverwaltungsgesetzes

Das im Jahr 2003 verabschiedete Kommunalgesetz, das am 1.1.2006 in Kraft treten sollte, ist in Kaliningrad durchweg negativ aufgenommen worden, da es die Selbstständigkeit der Kommunen nicht stärkt, sondern aushöhlt. Die direkten und indirekten Kontrollmöglichkeiten der föderalen und regionalen Behörden gegenüber der Kommune werden durch das Gesetz stark ausgeweitet. So stattet es den Gouverneur mit Rechten aus, die es ihm ermöglichen, einen missliebigen Bürgermeister des Amtes zu entheben.[336] Der garantierte Steueranteil, über den die Kommune selbstständig verfügen kann, wird weiter sinken und der Anteil der zweckgebundenen Zuweisungen steigen. Die Überprüfung der Zweckmäßigkeit der Mittelverwendung durch die staatlichen Behörden ist dabei erfahrungsgemäß ein Einfallstor für die direkte Vereinnahmung der kommunalen Politik.[337]

Die Kommune verliert die Zuständigkeit für Schulen und Krankenhäuser mit Ausnahme von Tages- und Polikliniken, was eine tief greifende Beschneidung der Verfügungsgewalt der Kommune bedeutet. Der Tätigkeitsschwerpunkt verlagert sich in den Bereich der Wohnungswirtschaft und der Wohnumfeldgestaltung. Zu einer Neufestlegung der Stadtgrenzen, wie sie durch das neue Kommunalgesetz als Option vorgesehen ist, wird es wahrscheinlich nicht kommen. Gesetzesgemäß muss der Kaliningrader Stadtrat aber eine neue Stadtsatzung verabschieden, deren Grundparameter vordefiniert sind.

---

335 Einschätzung aus Sicht der Leiterin der Rechtsabteilung des Stadtrates, siehe Minilis, Ljubov: Polnomočija dali. A dengi?, in: Kaliningradskaja Pravda, 28.2.2002.

336 Sazonov, Vladimir; Ševčenko, Irina; Sin'kovskoj, Kirill: Strasti po vertikali vlasti, in: Kaliningradskaja Pravda, 15.9.2004.

337 Siehe Gercik 1997.

Es ist außerdem eine Mindestzahl von Abgeordneten des Stadtparlaments festgelegt, die entsprechend der Größe Kaliningrads 25 beträgt.[338]

Die Aussage des Stadtrates Aleksandr Pjatikop, dass die »Einstellung gegenüber dem Gesetz [...] im Ganzen negativ« ist, spiegelt die tatsächliche Stimmung im Stadtrat wie auch im Bürgermeisteramt wider.[339] Die stellvertretende Chefredakteurin des Amtsblattes Graždanin meinte, dass die Verlängerung der Vertikale der Macht zurzeit das maßgebliche Ereignis in der Kommunalpolitik ist. Das neue Selbstverwaltungsgesetz bietet dabei »Anlass zu echtem Ärgernis«, weil Kompetenzen an die Oblast' abgegeben werden, während den Kommunen weitere Belastungen auferlegt werden.[340] Im Amtsblatt der Stadt wurde eine Einschätzung des Gesetzes vorgenommen:

> »Es lässt sich eine Tendenz der Verstaatlichung der kommunalen Selbstverwaltung beobachten, die nicht als ein Recht der Bürger, sondern als Pflicht verstanden wird, staatliche Aufgaben auf der lokalen Ebene zu erfüllen. Der Verantwortlichkeit der Organe der kommunalen Selbstverwaltung gegenüber dem Staat ist [im neuen föderalen Selbstverwaltungsgesetz, T.B.] ein ganzes Kapitel gewidmet, der Verantwortung gegenüber der Bevölkerung dagegen nur ein Artikel. Deshalb wird kommunale Selbstverwaltung de facto in die dritte Ebene der Staatsgewalt umgewandelt: Ihre Effektivität wird ›von oben‹ bestimmt.«[341]

Die Kritik erwies sich jedoch als wirkungslos und verklang rasch.[342] Inzwischen lässt sich bereits erkennen, wie sich die Kaliningrader Stadtverwaltung mit den neuen Rahmenbedingungen arrangiert. Das taktische Ziel der Stadt

---

338   Die Festschreibung einer Mindestabgeordnetenzahl ist in Art. 35 Pkt. 6 festgelegt:
sieben – bei einer Bevölkerungszahl von weniger als 1.000
zehn – bei einer Bevölkerungszahl von 1.000 bis 10.000
15 – bei einer Bevölkerungszahl von 10.000 bis 30.000
20 – bei einer Bevölkerungszahl von 30.000 bis 100.000
25 – bei einer Bevölkerungszahl von 100.000 bis 500.000
35 – bei einer Bevölkerungszahl über 500.000
(siehe auch: Gritsenko 2003, S. 3).
339   Ardyševa, Lidija: Kak žit' po novomu zakonu, in: Jantarnyj Kraj, 15.4.2004.
340   Im persönlichen Gespräch am 13.5.2004.
341   Lemčik, Elena; Krylova, Elena: Problemy mestnogo samoupravlenija, in: Graždanin, 15.1.2004.
342   Der Stellvertreter des Präsidenten und der Gouverneur haben eine zügige Umsetzung der Kommunalreform in der Kaliningrader Oblast' angekündigt.

AUTORITARISMUS STATT SELBSTVERWALTUNG   125

besteht nunmehr darin, Freiräume auszuloten und den Reformprozess in der Oblast' zugunsten der Kommune zu beeinflussen. Der erste Schachzug in diese Richtung war die bereits erwähnte Einsetzung des Kaliningrader Stadtratsvorsitzenden Evgenij Gan als Vorsitzenden der Assoziation der kommunalen Körperschaften der Kaliningrader Oblast' (AMOKO). Diese Personalentscheidung, die gegen den Willen des Gouverneurs getroffen wurde, half, das Gleichgewicht zwischen der Stadt Kaliningrad und der Gebietsadministration zu verschieben.[343] Ein zweiter Versuch im Jahr 2004 ist der Vorstoß des Stadtrates gewesen, Kaliningrad den »Status eines administrativen Zentrums«[344] verleihen zu lassen. Mit der Begründung, dass sich alle Verwaltungseinrichtungen, die Gebietsduma und die Gouverneursadministration auf dem Territorium der Stadt befinden und dadurch der Stadt zusätzliche Ausgaben entstünden, hat der Stadtrat einen Gesetzentwurf in die Gebietsduma eingebracht, wonach die Gebietsadministration für die entstehenden Kosten aufzukommen hat. Dieses Vorhaben wird jedoch aufgrund des Widerstandes des Gouverneurs wahrscheinlich keinen Erfolg haben.[345]

Das Bürgermeisteramt reagiert auf die neue Linie in der Kommunalpolitik unter Putin, indem es die Machtvertikale innerhalb der Kommune stärkt, um auf diese Weise den Handlungsspielraum des Bürgermeisters gegenüber Vetogruppen auszuweiten. Für die Umsetzung dieses Ziels erweist es sich als günstig, dass die neue Kommunalreform die Verabschiedung einer neuen Hauptsatzung verlangt.

Im Mai 2004 kam es zur formalen Einberufung von »Runden Tischen« mit Vertretern von Parteien und Vereinen sowie kommunalen Angestellten und Unternehmern, um gemeinsam über die Gestalt der neuen städtischen Ver-

---

343   Kostomarov, Vladimir: Polpredam dali šans ispravit' disbalans, in: Kaskad, 16.6.2004; siehe auch das Interview mit Evgenij Gan: Činovniki sozdajut prolemy dlja ljudej, no ne imeut na éto pravo, in: Argumtenty i Fakty v Kaliningrade, 13.10.2004.
344   In dem entsprechenden Entwurf wird von bis zu 2 % des Jahresbudgets ausgegangen, die für die Funktion als Gebietszentrum ausgegeben werden, siehe Ardyševa, Lidija: Kaliningrad dobivaetsja statusa administrativnogo centra, in: Jantarnyj Kraj, 13.4.2004.
345   Siehe Birjukova, Irma: Kalingradu ne chvataet statusa?, in: Komsomol'skaja pravda v Kaliningrade, 16.11.2004.

fassung zu beraten.[346] Tatsächlich wurden zu diesen Treffen jedoch nur Vertreter von Organisationen, Leiter kommunaler Einrichtungen und Unternehmer eingeladen, die sich gegenüber dem Bürgermeister loyal verhalten.[347] Die Vorbereitung der Treffen war außerdem so angelegt, dass der Gegenstand der Erörterung unklar blieb. So konzentrierte sich die Diskussion nur deshalb auf die Konzeptionen eines alternativen kommunalen Verfassungsmodells, um zu dem Schluss zu kommen, dass das bestehende Modell für alle das überzeugendste ist.[348] Das als Diskussions- und Abstimmungsgrundlage dienende Informationspapier suggerierte aufgrund der drei darin enthaltenen Alternativmodelle eine echte Wahlmöglichkeit und verschleierte dabei die erst auf den zweiten Blick ersichtliche Strategie, das Machtverhältnis zwischen Bürgermeister und Stadtrat in Zukunft zugunsten des Bürgermeisters zu verschieben. So wurden in dem Informationspapier des Stadtrates folgende konkrete Änderungen vorgeschlagen:[349]

- Entscheidungen des Stadtrates, die die Verwendung von Budgetmittel veranlassen, dürfen nur auf Initiative des Stadtoberhauptes beraten werden (S. 2, Pkt. 12),
- beschlossene Satzungen müssen dem Bürgermeister zur Unterschrift und Verkündung vorgelegt werden (S. 2, Pkt. 13),
- die Tätigkeit des Vertretungsorgans wird durch das Stadtoberhaupt organisiert (S. 2, Pkt. 14) und

346   Ardyševa, Lidija: V spore roždaetsja istina, in: Kaliningradskaja Pravda, 6.5.2004; N.N.: Točku v obsuždenii stavit' rano: Kaliningradskaja Pravda, 27.5.2004.
347   An dem Runden Tisch für politische Parteien und Vereine am 16.5.2004 nahmen Vertreter des Frauenverbandes der Kaliningrader Oblast', Vertreter eines Tierschutzvereins, ein Vertreter einer Veteranenorganisationen und Vertreter der Präsidenten- Bürgermeisterpartei »Edinaja Rossija« teil, siehe Ardyševa, Lidija: V spore roždaetsja istina, in: Kaliningradskaja Pravda, 6.5.2004.
348   Drei verschiedene Modelle: a) das Stadtoberhaupt wird direkt gewählt und sitzt dem Stadtrat vor; der Bürgermeister wird per Kontrakt angestellt, b) das gewählte Stadtoberhaupt ist gleichzeitig Bürgermeister, c) das Stadtoberhaupt (gleichzeitig Bürgermeister) wird aus dem Kreis der Stadträte gewählt.
349   Informationspapier des Komitees für kommunale Selbstverwaltung und öffentliche Sicherheit des Kaliningrader Stadtrates: »Struktur der Organe der kommunalen Selbstverwaltung entsprechend dem föderalen Gesetz ›Über die allgemeinen Organisationsprinzipien der kommunalen Selbstverwaltung in der RF‹« vom 6.10.2003.

- ein Veto des Bürgermeisters kann nicht mehr mit einfacher, sondern nur noch mit einer Zwei-Drittel-Mehrheit durch die Abgeordneten überstimmt werden (S. 4, Pkt. 13).

Es ist wahrscheinlich, dass diese Änderungen Eingang in die neue Stadtsatzung finden werden. Damit wird auf der Ebene der Stadt eine Konterreform der Kommunalverfassung eingeleitet, welche die Demokratisierung der Stadtverfassung rückgängig macht, die im Rahmen der »legalen Revolution« in den Jahren 1997 und 1998 vollzogen wurde. Die Tatsache, dass der Stadtrat seine eigene Selbstentmachtung vorschlägt, zeigt, dass diese Institution ihre Unabhängigkeit verloren hat und vollständig durch die kommunale Exekutive vereinnahmt ist.

6.3 Die Reformen in der Wohnungswirtschaft und im Sozialwesen

Darüber hinaus ist zu beobachten, dass der Kommune vom föderalen Zentrum zunehmend die Verantwortung für Reformen – vor allem im Bereich des Sozialen und der Wohnungswirtschaft – übertragen wird, ohne dass die dafür unabdingbaren Ressourcen (Macht, Finanzen) zur Verfügung gestellt werden. Der erste Teil der Reformen besteht darin, die flächendeckende Subventionierung der kommunalen Wohnungswirtschaft aufzuheben.[350] Die Kommunen werden dadurch gezwungen, kostendeckende Preise für die in Anspruch genommenen kommunalen Dienstleistungen festzusetzen – eine in der Bevölkerung ausgesprochen unpopulärer Maßnahme. Der zweite Reformschritt besteht in der sogenannten *Monetisierung der Sozialvergünstigungen*. Sozialleistungen für empfangsberechtigte Gruppen (Rentner, einkommensschwache Familien, Veteranen) sollen in Zukunft nicht mehr in Form subventionierter Preise erbracht, sondern als Zulage zur Rente bzw. als Sozialgeld unmittelbar ausgezahlt werden.

Beide Teile der Reform rütteln an den Grundfesten des traditionellen russischen Sozialstaatsverständnisses – allem voran der Fiktion kostenloser kommunaler Dienstleistungen – und treffen auf starken Widerstand in der Bevölkerung. Da die Aufhebung der Subventionen nicht in voller Höhe kompensiert

---

350   »Subsidies to all should be abolished.« Sakwa 2002, S. 252.

wird, die Umstellung unorganisiert verläuft und einige Berechtigungsgruppen ausgeschlossen werden, führte vor allem der zweite Reformschritt zu landesweitem Widerstand. Im März 2005 wurde in Kaliningrad von einer Gruppe von Rentnern, Kommunisten und Sozialbolschewisten eine Strohpuppe verbrannt, die einen Bürokraten darstellte. Die Proteste hielten sich jedoch in Grenzen, da u.a. die kostenlose Inanspruchnahme öffentlicher Verkehrsmittel für Rentner im Jahr 2005 beibehalten wurde.[351]

Der Bürgermeister geriet angesichts der geforderten Reformen unter großen politischen Druck. Er muss gegenüber den Bürgern Maßnahmen rechtfertigen, die auf Widerstand stoßen und seine Beliebtheit in der Bevölkerung – die zu seinen wichtigsten Machtressourcen zählt – schmälern. Das Kaliningrader Bürgermeisteramt entschied sich in dieser schwierigen Situation für drei Strategien: Zum einen wird die Umsetzung der Reformen verzögert, zum anderen wird darauf hingearbeitet, den politischen und finanziellen Spielraum im Rahmen der neuen Vorgaben so weit wie möglich auszudehnen. Das Bürgermeisteramt versucht außerdem, die Machtkonzentration in der kommunalen Exekutive weiter zu stärken, um über ein Maximum an Ressourcen zu verfügen und um unzufriedene Bevölkerungsteile, politische Opponenten und institutionelle Gegenspieler wie z.B. den Stadtrat wirkungsvoll disziplinieren zu können. Um die eigene Machtposition aufzuwerten, vollzieht das Bürgermeisteramt eine Selbsteingliederung in die »Vertikale der Macht«, da der Rückgriff auf die Autorität des Präsidenten sowohl gegenüber der Bevölkerung als auch gegenüber politischen Gegnern ein stärkeres Durchsetzungsvermögen garantiert.

6.4 Vertikale Rhetorik

Die Politik Putins führte zur Veränderung des politischen Diskurses in den Regionen und Kommunen, die der liberale Kaliningrader Politiker Solomon Ginzburg so beschreibt:

---

351   Andreev; Nikolaj: Proezd bez l'got, no s boem, in: Kaliningradskaja reklama i informacija, 19.1.2005.

»Heute, da ein nomenklatur-bürokratischer Staat aufgebaut wird, klingen die Stimmen derjenigen lauter als alles andere, die nach einer Stärkung der Vertikale der Macht rufen und für eine blinde Ausführung der Anweisungen übergeordneter föderaler Beamter sind. Diejenigen, die als überlegt und klug gelten wollen, bestehen darauf, dass das Zentrum für die Wahrheit steht.«[352]

Diese Entwicklung zeigt sich u.a. an der demonstrativen Ergebenheit des Bürgermeisters gegenüber dem Präsidenten. Savenkos Zustimmung zu Putins Vorschlag, die Gouverneure in Zukunft durch den Präsidenten zu ernennen, macht deutlich, dass eine Verstaatlichung der kommunalen Verwaltung durchaus in seinem Interesse ist.

»Ich bin immer für eine feste Vertikale der Macht gewesen, weil ich weiß, dass es unter Gouverneuren eine Vielzahl zufälliger Kandidaten gibt. Sie haben keinerlei praktische Verwaltungserfahrung. Und an die Macht sind sie durch den Einfluss von Finanzgruppierungen gekommen. Außerdem leisten sich nichts, sondern zahlen die Mittel ab, die während des Wahlkampfes in sie investiert wurden. Und wenn, sagen wir, die Gouverneure auch noch die Bürgermeister ernennen werden, wird es keine Konflikte mehr zwischen der Gebiets- und der Kommunalgewalt mehr geben. So werden wir produktiver arbeiten können. Im Augenblick erlaubt das Recht, dass man Mowgli aus dem Dschungel holt, und ihn zum Gouverneur oder Bürgermeister wählt. Und das ist doch nicht normal.«[353]

6.5 »Edinaja Rossija« in der Kommunalpolitik

Ein konkretes Beispiel für die indirekte Einwirkung des föderalen Zentrums ist die Etablierung der Präsidentenpartei »Einiges Russland« in der Kaliningrader Kommunalpolitik.[354] Die Kaliningrader Fraktion der Partei ist im Oktober

---

352   Ginzburg, Solomon: Sto dnej v okrušenii Evrosojusa, in: Kaliningradskaja Pravda, 5.8.2004.
353   Savenko in Bezug auf die Vorschläge des Präsidenten, die Gouverneure in Zukunft nicht mehr wählen, sondern durch den Präsidenten ernennen zu lassen: Sazonov, Vladimir, Ševčenko, Irina; Sin'kovskoj, Kirill: Strasti po vertikali vlasti, in: Kaliningradskaja Pravda, 15. September 2004.
354   Direkt war der Eingriff des Kremls in die Gouverneurswahlen 2001. Jurij Savenko hatte seine Absicht, zu kandidieren, angekündigt, aber auf Wunsch des Kremls,

2003 auf Initiative des Unternehmers und Stadtrates Aleksandr Jarošuk ins Leben gerufen worden. Ihr gehören sieben der 18 Abgeordneten an. Das Ziel der Fraktion besteht nach Auskunft Jarošuks darin, die Vorgaben zu verfolgen, die im Statut der Partei »Einiges Russland« niedergelegt sind.[355]

Im Unterschied zu den beiden anderen Fraktionen im Stadtrat – der Fraktion der KPRF (drei Mitglieder) und der Fraktion der linkszentristischen Volkspartei Narodnaja Partija (drei Mitglieder) – hat die Fraktion der Präsidentenpartei einen starken Einfluss auf die Entscheidungsprozesse im Stadtrat.[356] Sie ist mit Abstand die größte Fraktion und der Stadtratsvorsitzende Evgenij Gan ist ihr gegenüber loyal.[357] Nach der politischen Annäherung zwischen dem Stadtratsvorsitzenden, Savenko und dem Parteivorsitzenden Jarošuk fungiert die Fraktion als Steuerungsinstrument des Bürgermeisteramtes im Stadtrat. Die städtische Exekutive unterstützt dabei die politische Marginalisierung der Opponenten der »Partei der Macht«.[358]

»Edinaja Rossija« spielt auf der kommunalen Ebene eine Doppelrolle. Auf der einen Seite ist sie ein Steuer- und Kontrollinstrument des Kremls in den Kommunen. Auf der anderen Seite stellt die Partei eine Koordinationsbasis für die bürokratische Elite der Kommunen wie auch für alle anderen Verwaltungsebenen dar. In Kaliningrad ist die »Edinaja Rossija« die Repräsentantin der Politik des föderalen Zentrums. Außerdem werden ihre Ressourcen durch die lokale Elite zur Stabilisierung der eigenen Position verwandt.

Die Entwicklung der Kommune seit dem Amtsantritt Putins zeigt somit einen klaren Trend: Sie droht in einen hierarchisch-bürokratischen Verwaltungsstaat eingegliedert zu werden. Die Zentralisierung der Finanzen, die systema-

---

der den Admiral der Baltischen Flotte, Egorov, für diesen Posten bevorzugte, auf die Kandidatur verzichtete.

355   Meldung der Nachrichtenagentur »Rosbalt«, 17.10.2003.

356   Der Fraktionschef: »Ich leite die Fraktion ›Einiges Russland‹ im Stadtrat, die quasi den Ton der Sitzungen des Vertretungsorgans angegeben hat. Wir klären im Vorhinein unsere Position in der oder der anderen Frage. Am Ende trifft der Stadtrat immer irgendeine Entscheidung.« Budojan, Natal'ja: Aleksandr Jarošuk. Biznesmen? Deputat? Partiec?, in: Kaliningradskaja Pravda, 23.9.2004.

357   Krom, Elena: Drejfujuščij ostrov, in: Jantarnyj Kraj, 11.11.2003.

358   Siehe Nagornych, Elena: Komu ne po nravu »obrezanie«, Kaliningradskaja Pravda, 14.4.2004.

tische Zerstörung der Grundlagen für die politische und wirtschaftliche Autonomie der Kommune durch das neue Selbstverwaltungsgesetz und die Unterdrückung des politischen Wettbewerbs durch die Steuerung des (nationalen) Medien- und Parteiensystems weisen darauf hin. Der Widerstand, den die Kommune gegen diese Einflussnahme leisten kann, ist begrenzt.

Schluss

Der revolutionäre Bruch mit dem zentralistischen sowjetischen Verwaltungsmodell hat – mit zeitlicher Verzögerung – auch in der Stadt Kaliningrad Einschnitte hinterlassen. So wurde erst fünf Jahre nach der Verabschiedung des
ersten Selbstverwaltungsgesetzes in der RSFSR in der Kommune ein Verwaltungsmodell eingeführt, in dem neben dem Stadtrat auch der Bürgermeister durch die Bevölkerung gewählt wird.

Der Reformprozess auf der kommunalen Ebene verlief in Kaliningrad unre-
gelmäßig und uneinheitlich. Am auffälligsten ist, dass die Dominanz der
kommunalen Exekutive bis zum Jahr 1996 fast ungebrochen bestehen blieb.
Der Stadtrat wurde im kommunalen Verfassungsgebungsprozess marginalisiert und war nicht in der Lage, ein Satzungsmodell durchzusetzen, das auf
den Prinzipien der Gewaltenteilung basierte. Stattdessen gelang es dem
scheidenden Bürgermeister im Jahr 1996, der Stadt ein vertikales Verwaltungsmodell zu oktroyieren. Das Ergebnis war eine Stadtverfassung, in welcher der gewählte Bürgermeister aufgrund seiner umfangreichen Zuständigkeiten eine herausragende Stellung einnahm. Trotz der starken Exekutive
hatte die Kommunalreform die Stadträte jedoch so weit gestärkt, dass sie
sich im Verlaufe eines konfliktreichen (aber rechtmäßigen) Verfahrens aus
ihrer Macht- und Einflusslosigkeit befreien konnten. Der engagierte Stadtrat
setzte eine legale Demokratisierung der Stadtverfassung durch und trug zwischen 1996 und 1998 maßgeblich zu einer Belebung der Kommunalpolitik
bei, wie sie die Stadt bis zu diesem Zeitpunkt noch nicht gekannt hatte. Leider war diese selbstbewusste Aufbruchsphase des kommunalen Vertretungsorgans schnell beendet. Der 1998 gewählte Bürgermeister Jurij Savenko war
nicht bereit, die Macht in der Stadt mit dem Stadtrat zu teilen und versuchte
die Befugnisse der Legislative wieder einzuschränken. Da der Rückhalt der
Stadträte in der Bevölkerung zu gering war, zerfiel das ›repräsentative Element‹ in der Kommune. Der Bürgermeister konnte daraufhin in der Kommune
ein politisches Regime errichten, das auf seine Person zugeschnitten war.
Dabei sicherten ihm seine Fachkenntnisse als langjähriger Verwaltungsbe-

amter, sein »Charisma« als ehemaliger Offizier und sein professioneller Ehrgeiz die Sympathie der Bevölkerung. Die wesentliche Machtressource Jurij Savenkos war jedoch sein Rückhalt in der administrativen Elite der Stadt. Mithilfe deren Unterstützung gelang es Savenko, wirtschaftliche und gesellschaftliche Entwicklungen in Kaliningrad zu steuern. Durch seinen neo-paternalistischen Politikstil hat Savenko enge Grenzen für die Entfaltung des Pluralismus gezogen und damit den beginnenden Demokratisierungsprozess auf der Ebene der Kommune aufgehalten. Unter neuen Vorzeichen (»Vertikale der Macht«) wurden autoritäre Interaktionsmuster zwischen Bevölkerung und Verwaltung institutionalisiert. Die schleichende »Einfrierung der kommunalen Politik« gelang dabei auch durch deren rhetorische Bemäntelung unter Verwendung von Schlagwörtern wie »Demokratie« und »Selbstverwaltung«, ohne dass diese durch eine »liberale Realität« gedeckt wären. Der Begriff der »Mestnoe samoupravlenie« (Selbstverwaltung) stellt spätestens seit Ende der 90er Jahre in der Kaliningrader Wirklichkeit eine Hülle dar, die ohne Inhalte ist.

Die Re-Etatisierung der Kommunen, die durch die Kreml-Administration seit Anfang der 2000er Jahre vorangetrieben wird, kann die Kaliningrader somit ihrer Selbstverwaltungsrechte nicht mehr berauben, da diese bereits im Vorfeld durch den eigenen Bürgermeister abgeschafft wurden. So problematisch die putinschen Reformen aus demokratietheoretischer Sicht auch sein mögen – sie schränken zumindest den Freiraum des Bürgermeisters ein, der nun gezwungen ist, seine Macht mit der Region und dem föderalen Zentrum zu teilen. Anhand dieser Entwicklung wird deutlich, dass politischer Wettbewerb in der Russischen Föderation heute nur innerhalb der administrativen Elite geführt wird. Die Macht reproduziert sich nur im Rahmen der privilegierten administrativen Elite und die Bürger sind als ›Untertanen‹ fast vollständig aus dem politischen Prozess ausgeschlossen.

Die traditionelle Dominanz der staatlichen Sphäre über die Gesellschaft ist somit trotz eines Jahrzehnts von Reformen auch auf der kommunalen Ebene nicht überwunden worden, sondern bleibt ihr prägendes Strukturmerkmal. Da die Verwaltungselite ihre Einstellungen und Verhaltensmuster nicht wesentlich geändert hat, nutzt sie nach wie vor ihre Möglichkeiten, die Prozesse in der Gesellschaft zu steuern. Ihr wichtigster Grundsatz lautet, die eigene

Machtbasis zu reproduzieren. In einem rapiden Anpassungsprozess an die kontingenten Verhältnisse der Transformationsgesellschaft ist es ihr gelungen, neue Techniken der gesellschaftlichen Steuerung und eine pragmatische Ideologie zu entwickeln, mit der sie ihren Herrschaftsanspruch rechtfertigen kann. Die Kräfteverhältnisse in der Kommune sind dabei so gestaltet, dass einer autopoietischen Reproduktion von Macht keine Hindernisse im Weg stehen. Die ›Ideologie der Macht‹ stellt auf der föderalen Ebene eine Mischung aus Bekenntnissen zu Demokratie und Marktwirtschaft, einem gemäßigten neo-paternalistischen Führerkult und einem etatistischen Nationalismus dar und wird auf der Ebene der Kommune für die dortigen Verhältnisse adaptiert.

Die Stabilität eines kompetitiv-autoritären Regimes, wie es sich auf der kommunalen Ebene entfaltet hat, ist prekär und basiert auf dem niedrigen Mobilisierungsgrad der Bevölkerung. Wie lange sich ein solches zentralistisches Regime in einer sich allmählich differenzierenden Gesellschaft halten kann, ist jedoch fraglich.

Literaturverzeichnis

Sekundärliteratur

Baldersheim, Harald; Illner, Michal; Wollmann, Hellmut (Hg.): Local Democracy in Post-communist Europe, Opladen 2003.

Beichelt, Timm: Die slawischen GUS-Staaten zwischen Autokratie und Demokratie; Frankfurter Institut für Transformationsforschung, Discussion Paper Nr. 5/2000.

Beyme, Klaus von: Russland zwischen Anarchie und Autokratie, Wiesbaden 2001.

Birckenbach, Hanne-Margret; Wellmann, Christian: Zivilgesellschaft in Kaliningrad. Explorationsstudie zur Förderung partnerschaftlicher Zusammenarbeit, erstellt im Auftrag des Schleswig-Holsteinischen Landtages, Kiel 2000.

Bjalkina, Tatiana M.: Die örtliche Selbstverwaltung in der Russischen Föderation: Lage, Probleme, Perspektiven, in: Osteuropa-Recht. Gegenwartsfragen aus den Rechten des Ostens, Jg. 47, 1-2/2001, S. 15-34.

Brie, Michael: The Political Regime of Moscow – Creation of a New Urban Machine?, Wissenschaftszentrum Berlin für Sozialforschung, Berlin 1997, S. 97-102.

Butusova, Natalia: Lokale Selbstverwaltung und Wirtschaftsförderung in Russland: Das Beispiel des Gebiets Voronesh, in: Schröter, Eckhard (Hg.): Empirische Policy- und Verwaltungsforschung. Lokale und nationale Perspektiven, Opladen 2001, S. 181-193.

Chronik der Kaliningrader Stadtverwaltung 1998-2000, http://www.panorama. ru/works/mery/klg.html (zuletzt geöffnet am 24.2.2007).

Dahl, Robert A.: Polyarchy. Participation and Opposition, New Haven/London 1971.

Gel'man, Vladimir: Reform retour: Russlands kommunale Selbstverwaltung vor dem Aus?, in: Osteuropa. Zeitschrift für Gegenwartsfragen des Ostens, Jg. 53, 9-10/2003a, S. 1343-1356.

Gel'man, Vladimir: In search of local autonomy: the politics of big cities in Russia's transition, in: International Journal of Urban and Regional Research, Jg. 27, 1/2003b, S. 48-61.

Gel'man, Vladimir: The politics of local government in Russia. The neglected side of the story, http://www.eu.spb.ru/socio/staff/peps2002.pdf (zuletzt geöffnet am 24.2.2007).

Gercik, I.: Organizacija mestnogo samoupravlenija v Kaliningradskoj Oblasti, in: Mestnoe samoupravlenie, Beilage zum Journal Severnaja Pal'mira, St. Petersburg, 1997, S. 218-226, Internetversion http://snpi.org.ru/index.php?do=biblio&doc=248 (zuletzt geöffnet am 24.2.2007).

Goldsmith, Michael: Local Government in Europe; in: Judge, David; Stoker, Gerry; Wolman, Harold (Hg.): Theories of Urban Politics, London 1995.

Gorzka, Gabriele; Schulze, Peter W. (Hg.). Russlands Perspektive: Ein starker Staat als Garant von Stabilität und offener Gesellschaft?, Bremen 2002.

Gritsenko, Elena: A new stage of local self-government reform in Russia and the German experience, in: Kazan Federalist, 4/8, 2003.

Harter, Stefanie; Grävingholt, Jörn; Pleines, Heiko; Schröder, Hans-Henning (Hg.): Geschäfte mit der Macht. Wirtschaftseliten als politische Akteure im Russland der Transformationsphase 1992-2001, Bremen 2003.

Heinemann-Gründer, Andreas: Der heterogene Staat. Föderalismus und nationale Vielfalt in Russland, Berlin 2000.

Höhmann, Hans Hermann; Schröder, Hans-Henning (Hg.): Russland unter neuer Führung, Münster 2001.

Hughs, James; Peter, John: Local Elites in Russia's Transition. Generation effects on adaptation and competition, in: Steen, Anton; Gel'man, Vladimir (Hg.): Elites and democratic development in Russia, London/NewYork 2003, S. 124-147.

Karabeshkin, Leonid; Wellmann, Christian (Hg.): The Russian domestic debate on Kaliningrad. Integrity, Identity and Economy, Münster 2004.

Kirkow, Peter: Local self-government in Russia: awakening from slumber? Europe-Asia Studies, Jg. 49, 1/1997, S. 43-58.

Klemešev, A.P.; Kozlov, S.D.; Fëdorov, G.M.: Osobaja territorija Rossii, Kaliningrad 2003.

Knappe, Elke; Schulze, Monika: Kaliningrad aktuell, Leipzig 2003.

Knobloch, Jörn: Defekte Demokratie oder keine? Das politische System Russlands, Münster 2002.

Kralinski, Thomas: Die Transformation der russischen Kommunalverwaltung am Beispiel Moskaus, unveröffentlichte Magisterarbeit, Universität Leipzig, 1998.

Kralinski, Thomas: Die russische Kommunalverwaltung im Wandel: Im Osten was Neues?, in: Osteuropa Wirtschaft, Jg. 44, 1/1999, S. 51-78.

Kropp, Sabine: Demokratisierung durch autoritäre Lenkung? Lokale Selbstverwaltung als Gegenstand staatstheoretischer Diskussion und institutioneller Formen in Russland, in: Der Staat: Zeitschrift für Staatslehre, öffentliches Recht und Verfassungsgeschichte, Bd. 36, 1997, S. 55-80.

Kropp, Sabine: Systemreform und lokale Politik in Russland, Opladen 1995.

Lankina, Tomila: Local government and ethnic and social activism in Russia, in: Brown, Archie (Hg.): Contemporary Russian politics, New York 2001, S. 398-411.

Lankina, Tomila: Federal, regional interests shape local reforms, http://www. urbaneconomics.ru/eng/events.php?folder_id=2&mat_id=4&page_id=114 (zuletzt geöffnet am 24.2.2007).

Levitsky, Steven; Way, Lucan A.(Hg.): The rise of competitive authoritarianism, in: Journal of Democracy, Vol. 13, 2/2002, S. 51-65.

Liborakina, Marina: Local governance in Russia: current status, http://www. urbaneconomics.ru/eng/events.php?folder_id=2&mat_id=4&page_id=114 (zuletzt geöffnet am 24.2.2007).

Linz, Juan J.: Totalitäre und autoritäre Regime, hg. von Raimund Krämer, Berlin 2000.

Linz, Juan J.; Stepan, Alfred: Problems of democratic transition and consolidation, London 1996.

Maćków, Jerzy: Autoritarismen oder »Demokratien mit Adjektiven«? Überlegungen zu Systemen der gescheiterten Demokratisierung, in: Zeitschrift für Politikwissenschaft, Jg. 10, 4/2000, S. 1471-1499.

Major, Viktor: Kaliningrad/Königsberg: Auf dem schweren Weg zurück nach Europa, Münster 2001.

Malyšev, Pavel: Quell des Lebens? Trinkwasserversorgung oder Schmutzwasserversorgung in Kaliningrad?, in: Osteuropa, Jg. 53, 2-3/2003, S. 320-328.

Matsuzato, Kimitaka: Local elites under transition: county and city politics in Russia 1985-1996, Europe-Asia Studies, Jg. 51, 8/1999.

Matthes, Eckhard (Hg.): Als Russe in Ostpreußen. Sowjetische Umsiedler über ihren Neubeginn in Königsberg/Kaliningrad, Ostfildern 2002.

Merkel, Wolfgang: Systemtransformation, Opladen 1999.

Merkel, Wolfgang; Croissant, Aurel: Formale und informale Institutionen in defekten Demokratien, in: Politische Vierteljahresschrift, Jg. 41, 1/2000, S. 3-30.

Merkel, Wolfgang; Puhle, Hans-Jürgen; Croissant, Aurel; Eicher, Claudia; Thiery, Peter: Defekte Demokratie. Band 1: Theorie, Opladen 2003.

Mildner, Kirk: Lokale Politik und Verwaltung in Russland, Basel 1996.

Mommsen, Margareta: Wer herrscht in Russland?, 2. durchgesehene und erweiterte Ausgabe, München 2004a.

Mommsen, Margareta: Autoritäres Präsidialsystem und gelenkter politischer Wettbewerb in Putins Russland, in: Gorzka, Gabriele; Schulze, Peter W. (Hg.): Wohin steuert Russland unter Putin? Der autoritär Weg in die Demokratie, Frankfurt/Main 2004b, S. 177-202.

Moses, Joel C.: Political-economic elites and Russian regional elections 1999-2000. Democratic tendencies in Kaliningrad, Perm and Volgograd, in: Europe-Asia Studies, Jg. 54, 6/2002, S. 905-931.

Nies, Susanne: Ach Kaliningrad. Eine ungewöhnlich gewöhnliche Exklave, in: Osteuropa, Jg. 53, 2-3/2003, S. 394-409.

O'Donnell, Guillermo A.; Schmitter, Philippe C.: Transitions from Authoritarian Rule, Bd. 5: Tentative conclusions about uncertain democracies, Boulder 1986.

Sakwa, Richard: Russian politics and society, 3. Aufl., London 2002.

Saldern, Adelheid von: Geschichte der kommunalen Selbstverwaltung in Deutschland, in: Roth, Roland; Wollmann, Helmuth (Hg.): Kommunalpolitik. Politisches Handeln in den Gemeinden, Opladen 1994, S. 2-19.

Schewzowa, Lilija: Das neue Russland. Von Jelzin zu Putin, in: Höhmann, Hans-Hermann; Schröder, Hans-Henning: Russland unter neuer Führung, Münster 2001, S. 29-38.

Schielberg, Silke: Abschottung oder EU-Mitgliedschaft? Vorstellungen zur Zukunft der Exklave Kaliningrad im Spiegel der lokalen Presse, SCHIFF-texte Nr. 65, Kiel 2002.

Schmidt, Robert: Das Kaliningrader Gebiet (Sonderwirtschaftszone Jantar): Kompetenzabgrenzungsvertag einerseits und Föderalgesetz »Über die Sonderwirtschaftszone Jantar« anderseits – Ein harmonisches Nebeneinander?, in: Osteuropa Recht, Jg. 47, 1-2/2001, S. 1-14.

Stein, Stephan: Aufstieg, Fall und Neuanfang. Zehn Jahre Sonderwirtschaftszone Kaliningrad, in: Osteuropa, Jg. 53, 2-3/2003, S. 335-367.

Timmermann, Heinz: Kaliningrad. Eine Pilotregion für die Gestaltung der Partnerschaft EU-Russland?, in: Osteuropa, Jg. 51, 9/ 2001, S. 1036-1066.

Trifinov, R.F.: Dinamika regional'nogo političeskogo processa v Rossii, in: Političeskaja Nauka, 29.12.2003.

Tsygankov, Andrei: Manifestations of Delegative democracy in Russian local politics: what does it mean for the future of Russia?, in: Communist and Post-Communist Studies, Vol. 31, 4/1998, S. 329-344.

Vetter, Reinhold: Kaliningrad und die Osterweiterung der Europäischen Union, in: Osteuropa, Jg. 50, 2/2000, S. 144-160.

Wollmann, Helmut; Butusova, Natascha: Local self-government in Russia: Precarious trajectory between power and law, in: Baldersheim, Harald; Illner, Michael; Wollmann, Hellmut (Hg.): Local democracy in post-communist Europe, Opladen 2003, S. 211-240, auch: http://www2.rz.hu-berlin.de/ verwaltung/ (zuletzt geöffnet am 24.2.2007).

Wollmann, Helmut: Entwicklung der lokalen Selbstverwaltung in Russland zwischen Verfassungsstaatlichkeit und Machtpolitik, in: Gorzka, Gabriele; Schulze, Peter W. (Hg.). Russlands Perspektive: Ein starker Staat als Garant von Stabilität und offener Gesellschaft?, Bremen 2002, S. 133-145, auch: http://www2.rz.hu-berlin.de/verwaltung/ (zuletzt geöffnet am 24.2. 2007).

Wollmann, Helmut: Institution building of local self-government in Russia: between the legal design and power politics, in: Gel'man, V.; Young, J.; Evans, A. (Hg.): Local government in Russia, Lanham 2004a, S. 104-127, auch: http://www2.rz.hu-berlin.de/verwaltung/ (zuletzt geöffnet am 24.2. 2007).

Wollmann, Helmut: Local democracy and administration in East Germany – a »special case« of post-communist transformation?, in: Baldersheim, Harald; Illner, Michael; Wollmann, Hellmut (Hg.): Local democracy in Post-socialist Europe, Opladen 2004b, auch: http://www2.rz.hu-berlin.de/ verwaltung/ (zuletzt geöffnet am 24.2.2007).

142   TIM BOHSE

Quellen

Gesetze und Dokumente

Bundesgesetz »Über die allgemeinen Organisationsprinzipien der örtlichen Selbstverwaltung in der Russischen Föderation«, 1995.

Bundesgesetz »Über die allgemeinen Organisationsprinzipien der örtlichen Selbstverwaltung in der Russischen Föderation«, 2003.

Informationspapier des Komitees für kommunale Selbstverwaltung und öffentliche Sicherheit des Kaliningrader Stadtrates: »Struktur der Organe der kommunalen Selbstverwaltung entsprechend dem föderalen Gesetz ›Über die allgemeinen Organisationsprinzipien der kommunalen Selbstverwaltung in der RF‹« vom 6.10.2003.

Rechenschaftsbericht des Bürgermeisters für das Jahr 2003, Kaliningrad (CD-ROM).

Rechenschaftsbericht des Bürgermeisters für das Jahr 2002, Kaliningrad (CD-ROM).

Rechenschaftsbericht des Bürgermeisters für das Jahr 2001, Kaliningrad (CD-ROM).

Ustav goroda Kaliningrad (Stadtsatzung in der Fassung vom 1. Oktober 1996) in: Gorodskoj sovet deputatov, Mèria goroda Kaliningrada (Hg.): Sbornik normativnych dokumentov, Kaliningrad 1998, S. 3-67.

Ustav goroda Kaliningrad (Stadtsatzung in der geänderten Fassung vom Oktober 1998), http://www.klgd.ru/ru/legislation/usta.php (zuletzt geöffnet am 15.3.2005).

Verordnung des Leiters der Gebietsverwaltung »Über die Grundlagen der örtlichen Selbstverwaltung im Kaliningrader Gebiet«, 24. Januar 1994.

Zeitungs- und Zeitschriftenartikel

Alekseev, Aleksej: Politiceskaja èkonomika po-mèrski, in: Baltijskaja Reklama, 10.11.2003.

Andreev, Nikolaj: Proezd bez l'got, no s boem, in: Kaliningradskaja reklama i informacija, 19.1.2005.

Ardyševa, Lidija: »Každyj dolžen zanimat'sja svoim delom. no-chorošo«, in: Kaliningradskaja Pravda, 10.7.2003.

Ardyševa, Lidija: Kaliningrad dobivaetsja statusa administrativnogo centra, in: Jantarnyj Kraj 13.4.2004.

Ardyševa, Lidija: Kak žiť po novomu zakonu, in: Jantarnyj Kraj, 15.4.2004.

Ardyševa, Lidija: V spore roždaetsja istina, in: Kaliningradskaja Pravda, 6.5. 2004.

Bedenko, Jurij: Bjudžetnaja politika federalov – ne v našu pol'zu, in: Graždanin, 24.7.2003.

Birjukova, Irma: Kalingradu ne chravtaet statusa?, in: Komsomol'skaja pravda v Kaliningrade, 16.11.2004.

Bolyčeva, Ol'ga: Četvërtuju vlasť učili byť korrektnoj, Kaliningradskaja Pravda, 15.8.2003.

Budojan, Natal'ja: Regional'naja vlasť: Bylo – AO, stalo ČP, in: Kaliningradskaja Pravda, 2.3.2002.

Budojan, Natal'ja: Aleksandr Jarošuk. Biznesmen? Deputat? Partiec?, in: Kaliningradskaja Pravda, 23.9.2004.

Čagin, Pëtr: Ne starejut duchoi veteranov, in: Jantarnyj Kraj, 7.7.2004.

Černyševa, Galina: Evgenij Gan, in: Graždanin, 10.7.2003.

Černyševa, Galina: Jurij Savenko: Ne sobirajus' uchodiť s posta, in: Graždanin, 11.12.2003.

Černyševa, Galina: Gubernator Egorov: My gotovim naselenie k neizbežno tjaželoj žizni, in: Graždanin 25.12.2003.

Denisenkov, Aleksej: V preddverii konflikta, in: Ėkspert Severo-Zapad, 8 (37), 7.5.2001.

Denisenkov, Aleksej: Po gladen'koj dorožke, in: Ėkspert Severo-Zapad, 9 (70), 4.3.2002.

Denisenkov, Aleksej: Prožčaj samodostatočnosť, in: Ėkspert Severo-Zapad, 9 (70), 4.3.2002.

Efremenko, Oleg: Na mifach upravlenie ne ulučšiť, Kaliningradskaja Pravda, 14.1.2003.

Gan, Evgenij: Činovniki sozdajut problemy dlja ljudej, no ne imejut na ėto pravo, in: Argumenty i Fakty v Kaliningrade, 13.10.2004.

Ginzburg, Solomon: Sto dnej v okrušenii Evrosojusa, in: Kaliningradskaja Pravda 5.8.2004.

Jabloko: Bjulleten' po municipal'noj politike, 10 (16), 1999.

Kostomarov, Vladimir: Polpredam dali šans ispravit' disbalans, in: Kaskad, 16.6.2004.

Krom, Elena: Drejfujuščij ostrov, in: Jantarnyj Kraj, 11.11.2003.

Krylova, Elena; Lemčik, Elena: Problemy mestnogo samoupravlenija, in: Graždanin, 15.1.2004.

Levčenko, Michail: Kaliningradskij uzel, in: Pravda, 23.8.2002.

Machlov, Arsenij: Iskusstvo žit' bez gubernatora, ili dispozicija pered naznačeniem, in: Dvornik, 23.11.2004.

Markova, Ol'ga: Kirpičiki pod graždanskoe obžčestvo, in: Majak Baltiki, 21.10. 2004.

Minilis, Ljubov: Polnomočija dali. A dengi?, in: Kaliningradskaja Pravda, 28.2. 2002.

Mulkachajnen, A.: Jurij Savenko: »Ljudi vybrali tech, kogo vybrali«, in: Moskovskij Komsomolec v Kaliningrade, 15.3.2001.

Nagornych, Elena: Kto vezët, na togo i gruzjat, in: Kaliningradskaja Pravda, 26.12.1997.

Nagornych, Elena: Na čužoi karavaj rta ne razevaj, in: Kaliningradskaja Pravda, 30.6.1998.

Nagornych, Elena: Stoit li podnimat' perčatku?, in: Kaliningradskaja Pravda, 20.11.1998.

Nagornych, Elena: Ruka zakona nastigla deputata, in: Kaliningradskaja Pravda, 4.12.1998.

Nagornych, Elena: Nedolgo kreslo popustuet, in: Kaliningradskaja Pravda, 18.12.1998.

Nagornych, Elena: Gorodskoj romans Jurija Savenko, in: Kaliningradskaja Pravda, 20.2.1999.

Nagornych, Elena: Ustav davno pora latat', in: Kaliningradskaja Pravda, 19.3. 1999.

Nagornych, Elena: S adrenalinom u glavy porjadok, in: Kaliningradskaja Pravda, 1.6.1999.

Nagornych, Elena: Ustav razdora, in: Kaliningradskaja Pravda, 3.6.1999.

Nagornych, Elena: Mėry skazali: »Voz'mėmsja za ruki, druz'ja!«, in: Kaliningradskaja Pravda, 14.9.1999.

Nagornych, Elena: Komu i sačem nužna bjudžetnaja vojna?, in: Kaliningradskaja Pravda, 15.11.2001.

Nagornych, Elena: Komu ne po nravu »obrezanie«, in: Kaliningradskaja Pravda, 14.4.2004.

Orlov, Konstantin: Demokratija s kaliningradskom licom, in: Ėkspert Severo-Zapad, 3 (32), 19.2.2001.

Pirogova, Ljudmila: »Leonid Petrovič vam malo? Prokurator dobavit!«, in: Kaliningradskaja Pravda, 17.9.1999.

Ramires, O.: Na glazach u rodiny-materi povesili činovnika, in: Kaliningradskie Novye Kolesa, 10.3.2005.

Rožkov, Konstantin: Obuzdanie pressy, in: Kaliningradskaja Večerka, 5.9. 2003.

Savenko, Jurij: Predvybornye razmyšlenija mėra-kandidata na otvlečėnnye političeskie i ėkonomičeskie temy, in: Kaliningradskaja Pravda, 3.10.2002.

Sazonov, Vladimir: Volnoj vyneslo mėra, in: Kaskad, 3.6.1999.

Sazonov, Vladimir; Ševčenko, Irina; Sin'kovskoj, Kirill: Strasti po vertikali vlasti, in: Kaliningradskaja Pravda, 15.9.2004.

Ševčenko, Irina: Nakinut' li namordnik na kaliningradskie SMI?, in: Kaliningradskaja Pravda, 15.5.2001.

Slepukurov, D.: Kaliningradskaja oblast' w marte 1999 goda, in: Meždunarodnyj institut gumanitarno-političeskich issledovanij: vypuski političeskich issledovanij, http://www.igpi.ru/monitoring/1047645476/1999/0399/39.html (zuletzt geöffnet am 24.2.2007).

Smirnov, V.: Okt'jabrskij pas'jans mnenie sociologov, in: Kaliningradskaja Pravda, 6.10.1998.

Syrowatko, Viktor: »Prošli vybory, teper' – vyvody«, in: Kaliningradskaja Pravda, 18.11.1998.

N.N.: Šest' kommunistov, dva magnata i ostal'nye deputaty, in: Kaliningradskaja Pravda, 6.3.2001.

N.N.: Vybral? Svoboden!, in: Jantarnyj Kraj, 7.3.2001.

N.N.: Pobeda: odna na vsech, in: Kaliningradskaja Pravda, 30.1.2002.

N.N.: Vlast': vertikal'nye intrigi, in: Majak Baltiki, 15.10.2004.

N.N.: Kaliningrad pereizbral méra, in: Kommersant, 8.10.2002.

N.N.: Točku v obsuždenii stavit' rano, in: Kaliningradskaja Pravda, 27.5.2004.

Nachrichtenmeldungen

Akimov, Vladimir: Meldung des Nachrichtendienstes Vlastnye struktury v regionach. 10.2.1998.

Meldung Radio Rossii, Vesti 3.12.1998.

Meldung der Nachrichtenagentur »Rosbalt« 17.10.2003.

Meldung des Baltic News Service, 5.3.2001.

Glasnost Defense Foundation's Digest No. 182, 17. Mai 2004, http://www.dgf.ru/digest/digest//digest182e.shtml#rus002 (zuletzt geöffnet am 15.3.2005).

SOVIET AND POST-SOVIET POLITICS AND SOCIETY

Edited by Dr. Andreas Umland

ISSN 1614-3515

38   *Josette Baer (Ed.)*
Preparing Liberty in Central Europe
Political Texts from the Spring of Nations 1848 to the Spring of Prague 1968
With a foreword by Zdeněk V. David
ISBN 3-89821-546-6

39   *Михаил Лукьянов*
Российский консерватизм и реформа, 1907-1914
С предисловием Марка Д. Стейнберга
ISBN 3-89821-503-2

40   *Nicola Melloni*
Market Without Economy
The 1998 Russian Financial Crisis
With a foreword by Eiji Furukawa
ISBN 3-89821-407-9

41   *Dmitrij Chmelnizki*
Die Architektur Stalins
Bd. 1: Studien zu Ideologie und Stil
Bd. 2: Bilddokumentation
Mit einem Vorwort von Bruno Flierl
ISBN 3-89821-515-6

42   *Katja Yafimava*
Post-Soviet Russian-Belarussian Relationships
The Role of Gas Transit Pipelines
With a foreword by Jonathan P. Stern
ISBN 3-89821-655-1

43   *Boris Chavkin*
Verflechtungen der deutschen und russischen Zeitgeschichte
Aufsätze und Archivfunde zu den Beziehungen Deutschlands und der Sowjetunion von 1917 bis 1991
Ediert von Markus Edlinger sowie mit einem Vorwort versehen von Leonid Luks
ISBN 3-89821-756-6

44   *Anastasija Grynenko in Zusammenarbeit mit Claudia Dathe*
Die Terminologie des Gerichtswesens der Ukraine und Deutschlands im Vergleich
Eine übersetzungswissenschaftliche Analyse juristischer Fachbegriffe im Deutschen, Ukrainischen und Russischen
Mit einem Vorwort von Ulrich Hartmann
ISBN 3-89821-691-8

45   *Anton Burkov*
The Impact of the European Convention on Human Rights on Russian Law
Legislation and Application in 1996-2006
With a foreword by Françoise Hampson
ISBN 978-3-89821-639-5

46   *Stina Torjesen, Indra Overland (Eds.)*
International Election Observers in Post-Soviet Azerbaijan
Geopolitical Pawns or Agents of Change?
ISBN 978-3-89821-743-9

67   *Ingmar Bredies, Andreas Umland and Valentin Yakushik (Eds.)*
      Aspects of the Orange Revolution V
      Institutional Observation Reports on the 2004 Ukrainian Presidential Elections
      ISBN 978-3-89821-809-2

68   *Taras Kuzio (Ed.)*
      Aspects of the Orange Revolution VI
      Post-Communist Democratic Revolutions in Comparative Perspective
      ISBN 978-3-89821-820-7

69   *Tim Bohse*
      Autoritarismus statt Selbstverwaltung
      Die Transformation der kommunalen Politik in der Stadt Kaliningrad 1990-2005
      Mit einem Geleitwort von Stefan Troebst
      ISBN 978-3-89821-782-8

FORTHCOMING (MANUSCRIPT WORKING TITLES)

Stephanie Solowyda
Biography of Semen Frank
ISBN 3-89821-457-5

Margaret Dikovitskaya
Arguing with the Photographs
Russian Imperial Colonial Attitudes in Visual Culture
ISBN 3-89821-462-1

Stefan Ihrig
Welche Nation in welcher Geschichte?
Eigen- und Fremdbilder der nationalen Diskurse in der Historiographie und den Geschichtsbüchern in der Republik Moldova, 1991-2003
ISBN 3-89821-466-4

Sergei M. Plekhanov
Russian Nationalism in the Age of Globalization
ISBN 3-89821-484-2

Robert Pyrah
Cultural Memory and Identity
Literature, Criticism and the Theatre in Lviv - Lwow - Lemberg, 1918-1939 and in post-Soviet Ukraine
ISBN 3-89821-505-9

Andrei Rogatchevski
The National-Bolshevik Party
ISBN 3-89821-532-6

Zenon Victor Wasyliw
Soviet Culture in the Ukrainian Village
The Transformation of Everyday Life and Values, 1921-1928
ISBN 3-89821-536-9

Nele Sass
Das gegenkulturelle Milieu im postsowjetischen Russland
ISBN 3-89821-543-1

Julie Elkner
Maternalism versus Militarism
The Russian Soldiers' Mothers Committee
ISBN 3-89821-575-X

Alexandra Kamarowsky
Russia's Post-crisis Growth
ISBN 3-89821-580-6

Martin Friessnegg
Das Problem der Medienfreiheit in Russland seit dem Ende der Sowjetunion
ISBN 3-89821-588-1

Nikolaj Nikiforowitsch Borobow
Führende Persönlichkeiten in Russland vom 12. bis 20 Jhd.: Ein Lexikon
Aus dem Russischen übersetzt und herausgegeben von Eberhard Schneider
ISBN 3-89821-638-1

Martin Malek, Anna Schor-Tschudnowskaja
Tschetschenien und die Gleichgültigkeit Europas
Russlands Kriege und die Agonie der Idee der Menschenrechte
ISBN 3-89821-676-4

Andreas Langenohl
Political Culture and Criticism of Society
Intellectual Articulations in Post-Soviet Russia
ISBN 3-89821-709-4

Thomas Borén
Meeting Places in Transformation
ISBN 3-89821-739-6

Lars Löckner
Sowjetrussland in der Beurteilung der Emigrantenzeitung 'Rul', 1920-1924
ISBN 3-89821-741-8

Ekaterina Taratuta
The Red Line of Construction
Semantics and Mythology of a Siberian Heliopolis
ISBN 3-89821-742-6

Bernd Kappenberg
Zeichen setzen für Europa
Der Gebrauch europäischer lateinischer Sonderzeichen in der deutschen Öffentlichkeit
ISBN 3-89821-749-3

David Rupp
Die Rußländische Föderation und die russischsprachigen Minderheiten im "Nahen Ausland"
ISBN 3-89821-778-7

Julia Kusznir
Der politische Einfluss von Wirtschafts-eliten in russischen Regionen 1992 bis 2005
Eine Analyse am Beispiel der Erdöl und Erdgasindustrie
ISBN 978-389821-821-4

Alena Vysotskaya
Die Politik Russlands und Belarus hinsichtlich der Osterweiterung der Europäischen Union
Die Minderheitenfrage und das Problem der Freizügigkeit des Personenverkehrs
ISBN 978-389821-822-1

Siegbert Klee, Martin Sandhop, Oxana Schwajka, Andreas Umland
Elitenbildung in der Postsowjetischen Ukraine
ISBN 978-389821-829-0

Natalya Ketenci
The effect of location on the performance of Kazakhstani industrial enterprises in the transition period
ISBN 978-389821-831-3

Quotes from reviews of SPPS volumes:

On vol. 1 – *The Implementation of the ECHR in Russia*: "Full of examples, experiences and valuable observations which could provide the basis for new strategies."

Diana Schmidt, *Неприкосновенный запас*, 2005

On vol. 2 – *Putins Russland*: "Wipperfürth draws attention to little known facts. For instance, the Russians have still more positive feelings towards Germany than to any other non-Slavic country."

Oldag Kaspar, *Süddeutsche Zeitung*, 2005

On vol. 3 – *Die Übernahme internationalen Rechts in die russische Rechtsordnung*: "Hussner's is an interesting, detailed and, at the same time, focused study which deals with all relevant aspects and contains insights into contemporary Russian legal thought."

Herbert Küpper, *Jahrbuch für Ostrecht*, 2005

On vol. 5 – *Квадратные метры, определяющие сознание*: „Meerovich provides a study that will be of considerable value to housing specialists and policy analysts."

Christina Varga-Harris, *Slavic Review*, 2006

On vol. 6 – *New Directions in Russian International Studies*: "A helpful step in the direction of an overdue dialogue between Western and Russian IR scholarly communities."

Diana Schmidt, *Europe-Asia Studies*, 2006

On vol. 8 – *Nation-Building and Minority Politics in Post-Socialist States:* "Galbreath's book is an admirable and craftsmanlike piece of work, and should be read by all specialists interested in the Baltic area."

Andrejs Plakans, *Slavic Review*, 2007

On vol. 9 – *Народы Кавказа в Вооружённых силах СССР:* "In this superb new book, Bezugolnyi skillfully fashions an accurate and candid record of how and why the Soviet Union mobilized and employed the various ethnic groups in the Caucasus region in the Red Army's World War II effort."

David J. Glantz, *Journal of Slavic Military Studies*, 2006

On vol. 10 – *Русское Национальное Единство*: "A work that is likely to remain the definitive study of the Russian National Unity for a very long time."

Mischa Gabowitsch, *e-Extreme*, 2006

On vol. 14 – *Aleksandr Solzhenitsyn and the Modern Russo-Jewish Question*: "Larson has written a well-balanced survey of Solzhenitsyn's writings on Russian-Jewish relations."

Nikolai Butkevich, *e-Extreme*, 2006

On vol. 16 – *Der russische Sonderweg?:* "Luks's remarkable knowledge of the history of this wide territory from the Elbe to the Pacific Ocean and his life experience give his observations a particular sharpness and his judgements an exceptional weight."

Peter Krupnikow, *Mitteilungen aus dem baltischen Leben*, 2006

On vol. 17 – *История «Мёртвой воды»:* "Moroz provides one of the best available surveys of Russian neo-paganism."

Mischa Gabowitsch, *e-Extreme*, 2006

On vol. 18 – *Этническая и религиозная интолерантность в российских СМИ:* "A constructive contribution to a crucial debate about media-endorsed intolerance which has once again flared up in Russia."

Mischa Gabowitsch, *e-Extreme*, 2006

On vol. 25 – *The Ghosts in Our Classroom:* "Freyberg-Inan's well-researched and incisive monograph, balanced and informed about Romanian education in general, should be required reading for those Eurocrats who have shaped Romanian spending priorities since 2000."

Tom Gallagher, *Slavic Review*, 2006

On vol. 26 – *The 2002 Dubrovka and 2004 Beslan Hostage Crises:* "Dunlop's analysis will help to draw Western attention to the plight of those who have suffered by these terrorist acts, and the importance, for all Russians, of uncovering the truth of about what happened."

Amy Knight, *Times Literary Supplement*, 2006

On vol. 29 – *Zivilgesellschaftliche Einflüsse auf die Orange Revolution:* „Strasser's study constitutes an outstanding empirical analysis and well-grounded location of the subject within theory."

Heiko Pleines, *Osteuropa*, 2006

On vol. 34 – *Postsowjetische Feiern:* "Mühlfried's book contains not only a solid ethnographic study, but also points at some problems emerging from Georgia's prevalent understanding of culture."

Godula Kosack, *Anthropos*, 2007

On vol. 35 – *Fascism Past and Present, West and East:* "Committed students will find much of interest in these sometimes barbed exchanges."

Robert Paxton, *Journal of Global History*, 2007

Series Subscription

Please enter my subscription to the series *Soviet and Post-Soviet Politics and Society*, ISSN 1614-3515, as follows:

❑ complete series　　　　　　OR　　　　　❑ English-language titles
　　　　　　　　　　　　　　　　　　　　　　　❑ German-language titles
　　　　　　　　　　　　　　　　　　　　　　　❑ Russian-language titles

starting with
❑ volume # 1
❑ volume # ___
　　❑ please also include the following volumes: #___, ___, ___, ___, ___, ___, ___
❑ the next volume being published
　　❑ please also include the following volumes: #___, ___, ___, ___, ___, ___, ___

❑ 1 copy per volume　　　　　OR　　　　　❑ ___ copies per volume

Subscription within Germany:

You will receive every volume at 1st publication at the regular bookseller's price – incl. s & h and VAT.
Payment:
❑ Please bill me for every volume.
❑ Lastschriftverfahren: Ich/wir ermächtige(n) Sie hiermit widerruflich, den Rechnungsbetrag je Band von meinem/unserem folgendem Konto einzuziehen.

Kontoinhaber: _____Kreditinstitut: _____
Kontonummer: _____Bankleitzahl:_____

International Subscription:

Payment (incl. s & h and VAT) in advance for
❑ 10 volumes/copies (€ 319.80)　❑ 20 volumes/copies (€ 599.80)
❑ 40 volumes/copies (€ 1,099.80)
Please send my books to:

NAME_____DEPARTMENT_____
ADDRESS _____
POST/ZIP CODE_____COUNTRY _____
TELEPHONE _____EMAIL_____

date/signature_____

A hint for librarians in the former Soviet Union: Your academic library might be eligible to receive free-of-cost scholarly literature from Germany via the German Research Foundation. For Russian-language information on this program, see
　　　http://www.dfg.de/forschungsfoerderung/formulare/download/12_54.pdf.

Please fax to: **0511 / 262 2201 (+49 511 262 2201)**
or mail to: *ibidem*-Verlag, Julius-Leber-Weg 11, D-30457 Hannover,Germany
or send an e-mail: ibidem@ibidem-verlag.de

ibidem-Verlag

Melchiorstr. 15

D-70439 Stuttgart

info@ibidem-verlag.de

www.ibidem-verlag.de
www.edition-noema.de
www.autorenbetreuung.de

www.ingramcontent.com/pod-product-compliance
Lightning Source LLC
Chambersburg PA
CBHW050457080326
40788CB00001B/3888